中國美術全集

青銅器四

全國百佳圖書出版單位

時代出版傳媒股份有限公司

黄 山 書 社

目　錄

東周（公元前七七一年至公元前二二一年）

頁碼	名稱	時代	發現地	收藏地
890	儔兒鐘	東周		上海博物館
890	能原鎛	東周	傳江西高安市	故宮博物院
891	配兒鈎鑃	東周	浙江紹興市狗頭山	浙江省博物館
891	帶柄鐸	東周	浙江紹興縣印山大墓	浙江省紹興縣文物保護管理所
892	人面紋錞于	東周	江蘇鎮江市丹徒區諫壁鎮王家山古墓	江蘇省鎮江博物館
892	吳王夫差劍	東周		臺灣古越閣
893	越王勾踐劍	東周	湖北江陵縣望山1號楚墓	湖北省博物館
893	越王者旨於賜劍	東周		浙江省博物館
894	邗王是野戈	東周		故宮博物院
894	攻吳王光戈	東周	河南洛陽市金村	故宮博物院
895	吳王夫差鈹	東周	湖北江陵縣馬山5號墓中	湖北省博物館
895	菱形暗格紋矛	東周		臺灣古越閣
896	立鳥杖首及跪人杖鐓	東周	浙江省紹興縣灘渚鎮中莊村壩頭山	浙江省紹興縣文物保護管理所
897	鳳鳥紋人形足方座	東周	浙江紹興市坡塘306號墓	浙江省博物館
897	伎樂敞廳模型	東周	浙江紹興市坡塘306號墓	浙江省博物館
898	幾何紋鼎	東周	湖南湘潭市古塘橋	湖南省博物館
898	變形火龍紋鼎	東周	湖南資興市舊市鄉	湖南省博物館
899	幾何紋撇足鼎	東周	湖南湘潭市古塘橋	湖南省博物館
899	蟠虺紋鼎	東周	廣西恭城瑤族自治縣秧家村	廣西壯族自治區博物館
900	蟠虺紋盆	東周	湖南衡南縣保和圩	湖南省博物館
900	斜格對折雲紋尊	東周	廣西恭城瑤族自治縣秧家村	廣西壯族自治區博物館
901	蛇噬蛙紋尊	東周	廣西恭城瑤族自治縣秧家村	中國國家博物館
902	蛇紋尊	東周	湖南衡山縣湘江堤岸	湖南省博物館
902	絡帶蟠虺紋罍	東周	廣東清遠市馬頭岡1號墓	廣東省博物館
903	蟠龍紋罍	東周	廣西恭城瑤族自治縣秧家村	廣西壯族自治區博物館
903	蟠虺紋浴缶	東周	湖南湘鄉市大茅坪	湖南省博物館
904	錯銀填漆雲龍紋罍	東周	廣東肇慶市松山北嶺古墓	廣東省博物館
905	蟠虺紋浴缶	東周	廣東清遠市馬頭岡2號墓	廣東省博物館
905	變形龍紋提梁壺	東周	廣西武鳴縣元龍坡147號墓	廣西壯族自治區博物館
906	獸形尊	東周	廣西賀縣沙田鎮龍中山岩洞墓	廣西壯族自治區賀縣博物館
907	凸圈目蟠虺紋鑑	東周	湖南湘鄉市牛形山	湖南省博物館
907	蟠虺紋鑑	東周	江西樟樹市臨江鎮	江西省博物館
908	乳釘紋盒	東周	河南固始縣侯古堆	河南省文物考古研究所
908	變形獸面紋鐘	東周		湖南省衡陽市博物館

頁碼	名稱	時代	發現地	收藏地
909	雲雷紋鼎	東周	四川成都市百花潭中學10號墓	四川博物院
909	邵之食鼎	東周	四川成都市新都區馬家鄉九連墩大墓	四川博物院
910	連體釜甑	東周	四川成都市新都區馬家鄉九聯墩大墓	四川博物院
910	分體釜甑甗	東周	重慶涪陵區小田溪1號墓	四川博物院
911	雲紋匕	東周	四川成都市	四川博物院
911	豆形案	東周	重慶涪陵區小田溪1號墓	四川博物院
912	獸紋尖底盛	東周	四川成都市青羊宮東周墓	四川博物院
912	蟠螭紋鑑	東周	四川成都市新都區馬家鄉九聯墩大墓	四川博物院
913	帶蓋單耳鍪	東周	四川成都市百花潭中學10號墓	四川博物院
913	四環鈕渦紋壺	東周	重慶涪陵區小田溪1號墓	四川博物院
914	棕提梁壺	東周	四川成都市新都區馬家鄉九聯墩大墓	四川博物院
914	嵌錯宴樂采桑攻戰紋壺	東周	四川成都市百花潭中學10號墓	四川博物院
915	嵌錯雲紋方壺	東周	四川新津縣	四川博物院
916	嵌錯雲氣紋壺	東周	重慶涪陵區小田溪1號墓	四川博物院
916	蟬紋長枚甬鐘	東周	四川茂縣牟托村1號石棺墓	四川省茂縣羌族博物館
917	龍紋鐘	東周	四川茂縣牟托村	四川省茂縣羌族博物館
918	錯金編鐘	東周	重慶涪陵區小田溪1號墓	四川博物院
920	王字形巴蜀符號鉦	東周	重慶涪陵區小田溪1號墓	四川博物院
920	虎鈕錞于	東周	重慶涪陵區小田溪1號墓	四川博物院
921	虎紋柳葉形劍	東周	四川郫縣獨柏樹	四川博物院
921	獸面紋柳葉形劍	東周	四川巴中市冬笋壩墓葬	四川博物院
922	山字形寬首劍	東周	四川茂縣牟托村1號石棺墓	四川省茂縣羌族博物館
922	單鞘折首劍	東周	四川茂縣牟托村1號石棺墓	四川省茂縣羌族博物館
923	圓刃雙肩鉞	東周	四川成都市新都區馬家鄉九連墩大墓	四川博物院
924	柳葉形雙劍及劍鞘	東周	四川成都市中醫學院古墓	四川博物院
924	圓斑紋三角形無胡戈	東周	四川彭州市致和鄉窖藏	四川省彭州市博物館
925	獸面紋三角形戈	東周	四川成都市新都區馬家鄉	四川博物院
925	鳥紋三角形戈	東周		重慶市博物館
926	獸面紋長援戈	東周	四川成都市新都區馬家鄉	四川博物院
926	虎斑紋十字戈	東周	四川成都市新都區馬家鄉九連墩大墓	四川博物院
927	虎紋中胡戈	東周	四川郫縣獨柏樹東周墓	四川博物院
927	嵌錯獸面紋鏃	東周		重慶市博物館
928	蟬紋菱形矛	東周	四川彭州市致和鄉窖藏	四川省彭州市博物館
928	神像紋矛	東周		臺灣古越閣

頁碼	名稱	時代	發現地	收藏地
929	牛鼠紋矛	東周	四川成都市新都區馬家鄉九連墩大墓	四川博物院
930	蛇紋寬葉矛	東周	四川彭州市致和鄉窖藏	四川省彭州市博物館
930	斧	東周	四川成都市新都區馬家鄉九連墩大墓	四川博物院
931	曲頭斤	東周	四川成都市新都區馬家鄉九連墩大墓	四川博物院
931	鑿	東周	四川成都市新都區馬家鄉九連墩大墓	四川博物院
932	削	東周	四川成都市新都區馬家鄉九連墩大墓	四川博物院
932	雕刀	東周	四川成都市新都區馬家鄉九連墩大墓	四川博物院
933	嵌錯犀牛帶鈎	東周	四川廣元市昭化寶輪院	重慶市博物館
933	鷄	東周	四川成都市青羊小區	四川省成都市文物考古工作隊
934	動物紋牌飾	東周	四川茂縣牟托村	四川省茂縣羌族博物館
934	幾何紋三鈕鏡	東周	遼寧朝陽市十二臺營子村	遼寧省博物館
935	靴形鐓	東周	山西原平市劉莊	山西省原平市博物館
935	立人柄曲刃短劍	東周	內蒙古寧城縣南山根石棺墓	內蒙古自治區寧城縣博物館
936	無格短劍	東周	河北宣化縣小白陽39號墓	河北省張家口市博物館
936	鏤空幾何紋柄短劍	東周	北京延慶縣玉皇廟山戎墓地257號墓	首都博物館
937	雙獸首短劍	東周	北京延慶縣玉皇廟山戎墓地95號墓	首都博物館
937	動物紋首短劍	東周	北京延慶縣玉皇廟山戎墓地209號墓	首都博物館
938	雙獸首短劍	東周	寧夏彭陽縣	寧夏回族自治區固原博物館
938	錯金鳥帽鶴嘴斧	東周		臺灣古越閣
939	虎攫鷹管銎戈	東周		臺灣古越閣
939	頭盔	東周	內蒙古赤峰市美麗河	內蒙古自治區赤峰市博物館
940	鳥形帶鈎	東周	北京延慶縣玉皇廟山戎墓地229號墓	首都博物館
940	走獸形帶鈎	東周	北京延慶縣玉皇廟山戎墓地102號墓	首都博物館
941	蟠龍紋帶鈎	東周	北京延慶縣玉皇廟山戎墓地158號墓	首都博物館
941	馬形帶頭	東周	北京延慶縣玉皇廟山戎墓地226號墓	首都博物館
942	鳥獸紋帶鈎	東周	寧夏西吉縣陳陽川村	寧夏回族自治區固原博物館
942	虎蛇帶鈎及環鏈帶	東周	陝西安塞縣謝屯村	陝西省延安市文物管理委員會
943	虎噬馬帶頭	東周	內蒙古凉城縣窑子村	內蒙古博物院
943	虎噬羊帶鐍	東周	內蒙古鄂爾多斯	內蒙古自治區文物考古研究所
944	虎噬羊帶頭	東周	寧夏西吉縣陳陽川村	寧夏回族自治區西吉縣文物管理所
944	鎏金臥牛紋帶頭	東周	寧夏西吉縣蘇堡	寧夏回族自治區西吉縣文物管理所
945	雙虎奪鹿帶飾	東周	內蒙古地區	內蒙古博物院
945	雙鷹形飾牌	東周	寧夏西吉縣陳陽川村	寧夏回族自治區固原博物館
946	雙蛇銜蛙帶飾	東周	遼寧凌源市三官甸村河湯溝青銅短劍墓	遼寧省博物館

頁碼	名稱	時代	發現地	收藏地
946	羊首形轅首	東周	内蒙古準格爾旗玉隆太	内蒙古博物院
947	羚羊飾柱首	東周	内蒙古準格爾旗玉隆太	内蒙古博物院
947	鶴頭形柱首	東周	内蒙古準格爾旗速機溝	内蒙古博物院
948	半跪武士像	東周	新疆新源縣七十一團漁場墓葬	新疆維吾爾自治區博物館

秦至三國（公元前二二一年至公元二六五年）

頁碼	名稱	時代	發現地	收藏地
949	泰山宮鼎	西漢	陝西西安市高窰村	陝西省西安市文物保護考古所
949	昆陽乘輿鼎	西漢	陝西西安市高窰村	陝西省西安市文物保護考古所
950	陽信家鼎	西漢	陝西興平市豆馬村	陝西省茂陵博物館
951	帶肩熊足鼎	西漢	河北滿城縣中山靖王劉勝墓	河北省博物館
951	昌邑食官鼎	西漢		北京市保利藝術博物館
952	博邑家鼎	西漢		北京大學賽克勒考古與藝術博物館
952	中山内府鑊	西漢	河北滿城縣中山靖王劉勝墓	河北省博物館
953	鎏金瓶	西漢	河北滿城縣中山靖王劉勝墓	河北省博物館
954	釜	西漢	河北滿城縣中山靖王劉勝墓	河北省博物館
954	方爐	西漢	山東淄博市臨淄區窩托村	山東省淄博市齊國故城遺址博物館
955	陽信家染爐	西漢	陝西興平市豆馬村茂陵1號無名冢陪葬坑	陝西省茂陵博物館
955	四神染爐	西漢	山西朔州市	山西省平朔考古隊
956	陽信家爐	西漢	陝西興平市茂陵	陝西省茂陵博物館
956	弘農宮方爐	西漢	陝西西安市	陝西歷史博物館
957	獸首竈	西漢	山西朔州市	山西省平朔考古隊
957	龍首竈	西漢	廣西合浦縣	廣西壯族自治區博物館
958	朱雀銜環雙聯豆	西漢	河北滿城縣中山靖王劉勝之妻竇綰墓	中國國家博物館
959	鳥鈕鈁	秦	湖北雲夢縣睡虎地	湖北省雲夢縣博物館
959	變形蟠龍紋鈁	西漢	安徽蕪湖市賀家園	安徽省蕪湖市博物館
960	初元三年東阿宮鈁	西漢	陝西西安市高窰村	陝西省西安市文物保護考古所
960	錯金勾連雲紋鈁	西漢	陝西西安市	陝西省西安市文物保護考古所
961	蒜頭圓壺	秦	湖北雲夢縣睡虎地9號墓	湖北省雲夢縣博物館
961	雲紋壺	秦		北京大學賽克勒考古與藝術博物館
962	鎏金銀雲龍紋銅壺	西漢	河北滿城縣中山靖王劉勝墓	河北省博物館

頁碼	名稱	時代	發現地	收藏地
963	長樂宮乳釘紋壺	西漢	河北滿城縣中山靖王劉勝墓	河北省博物館
964	金銀錯鳥篆壺	西漢	河北滿城縣中山靖王劉勝墓	河北省博物館
965	中山內府鍾	西漢	河北滿城縣中山靖王劉勝墓	河北省博物館
965	建昭三年鍾	西漢		北京市保利藝術博物館
966	上林鍾	西漢	陝西西安市高窯村	陝西省西安文物保護考古所
966	元和四年黃陽君壺	東漢	山東蒼山縣卞莊鎮柞城古城遺址	山東蒼山縣文物管理委員會
967	提梁壺	東漢		江西省博物館
967	雙龍提梁壺	東漢	山東蒼山縣卞莊鎮柞城古城遺址	山東蒼山縣文物管理所
968	提鏈壺	西漢	河北滿城縣中山靖王劉勝墓	河北省博物館
968	魚形扁壺	西漢		上海博物館
969	蒜頭扁壺	秦	陝西咸陽市塔兒坡	陝西省咸陽市博物館
969	勾連紋獸鈕扁壺	秦	山西右玉縣	山西省考古研究所
970	中陵胡傅鎏金銀畫像尊	西漢	山西右玉縣大川村	山西博物院
970	人形足洗	西漢		首都博物館
971	朱雀鈕博山蓋尊	西漢		北京市保利藝術博物館
972	鎏金錯銀雲水紋尊	東漢	甘肅武威市雷臺漢墓	甘肅省博物館
972	鎏金鳥獸紋尊	西漢	傳陝西西安市	中國國家博物館
973	中陵胡傅溫酒尊	西漢	山西右玉縣大川村	山西博物院
974	鎏金雲紋尊	西漢	江蘇揚州市邗江區姚莊	江蘇省揚州博物館
974	神獸紋尊	西漢	甘肅平涼市	甘肅省博物館
975	建武廿一年鎏金承旋尊	東漢		故宮博物院
975	錯金雲龍紋尊	東漢	江蘇徐州市土山	南京博物院
976	金錯雲氣紋犀尊	西漢	陝西興平市豆馬村窖藏	陝西歷史博物館
976	陽信家鋗鏤	西漢		北京大學賽克勒考古與藝術博物館
977	鎏金菱形紋杯	西漢	河北滿城縣中山靖王劉勝墓	河北省博物館
977	鎏金菱形紋鉢	西漢	河北滿城縣中山靖王劉勝墓	河北省文物研究所
978	樛大盃	秦	陝西咸陽市窖店	陝西省咸陽市博物館
978	虎鋬壺形盃	東漢	江蘇徐州市土山東漢磚室墓	南京博物院
979	孫氏家鑑	西漢	山西太原市東太堡	山西博物院
979	鳥流鑑	西漢	江蘇揚州市邗江區姚莊	江蘇省揚州博物館
980	方匜	秦	湖北雲夢縣睡虎地	湖北省雲夢縣博物館
980	龍首魁	西漢	廣西合浦縣望牛嶺	廣西壯族自治區博物館
981	上林鑑	西漢	陝西西安市高窯村	陝西省西安市文物保護考古所
981	魚鳥紋洗	東漢		遼寧省博物館

頁碼	名稱	時代	發現地	收藏地
982	漆繪三鳳紋盆	西漢		北京市保利藝術博物館
982	趙姬沐盤	西漢	江蘇徐州市石橋	江蘇省徐州市博物館
983	器架	西漢	江蘇漣水縣三里墩西漢墓	南京博物院
983	甬鐘	秦	陝西西安市臨潼區秦始皇陵1號俑坑	陝西省秦始皇兵馬俑博物館
984	錯金銀樂府鐘	秦	陝西西安市臨潼區秦始皇陵	陝西省秦始皇兵馬俑博物館
984	五銖錢紋銅鼓	西漢	廣西岑溪市	中國國家博物館
985	鬥獸紋鏡	秦	湖北雲夢縣睡虎地9號墓	湖北省博物館
985	透雕龍紋三環鏡	西漢	江蘇漣水縣三里墩漢墓	南京博物院
986	雲龍紋矩形鏡	西漢	山東淄博市窩托村南齊王墓5號隨葬坑	山東省淄博市博物館
987	彩繪車馬人物鏡	西漢	陝西西安市紅廟坡	陝西省西安市文物保護考古所
987	四乳四龍紋鏡	西漢	陝西西安市	陝西歷史博物館
988	四乳四龍紋鏡	西漢	陝西西安市漢陵陪葬墓	陝西省考古研究院
988	大樂富貴四葉蟠螭紋鏡	西漢	湖南長沙市燕子嘴17號墓	湖南省博物館
989	光耀七乳四神鏡	西漢	陝西西安市	陝西省西安市文物保護考古所
990	透光日光鏡	西漢		上海博物館
990	加字昭明鏡	西漢	陝西西安市漢陵陪葬墓	陝西省考古研究院
991	貴富星雲鏡	西漢	山西右玉縣大川村	山西右玉縣博物館
991	四乳龍虎人物鏡	西漢	安徽廬江縣裴崗鄉漢墓	安徽省巢湖市文物管理所
992	鎏金中國大寧規矩紋鏡	西漢	湖南長沙市	中國國家博物館
993	神獸四乳規矩紋鏡	新莽		中國國家博物館
993	丹陽八乳規矩紋鏡	東漢	安徽壽縣牛尾崗	安徽省博物館
994	描金四靈規矩紋鏡	東漢		日本私人處
994	王氏四獸紋鏡	東漢	江蘇揚州市	江蘇省揚州博物館
995	仙人騎馬神獸鏡	東漢	浙江紹興縣趙建村	浙江省紹興博物館
995	建安十年重列神獸鏡	東漢	安徽和縣戚橋鄉晋墓	安徽省巢湖市文物管理所
996	八子神獸畫像鏡	東漢		上海博物館
996	蔡氏車馬神獸畫像鏡	東漢	河南洛陽市邙山漢墓	河南省洛陽市文物工作隊
997	四乳神人車馬畫像鏡	東漢	浙江紹興市	浙江省博物館
998	柏氏伍子胥畫像鏡	東漢		上海博物館
998	永康元年神獸鏡	東漢		上海博物館
999	呂氏神獸畫像鏡	東漢		故宮博物院
999	熹平三年變形四葉紋鏡	東漢		重慶市博物館
1000	變形四葉四龍紋鏡	東漢	湖南長沙市蓉園漢墓	湖南省博物館
1000	仙人神獸畫像鏡	三國·魏	河南洛陽市晋墓	中國國家博物館

頁碼	名稱	時代	發現地	收藏地
1001	碩人重列神獸畫像鏡	三國・吳	湖北武漢市	湖北省武漢市文物商店
1001	長宜子孫連弧紋鏡	東漢		浙江省博物館
1002	鎏金豹形鎮	西漢	河北滿城縣中山靖王劉勝墓	河北省博物館
1002	嵌貝龜形鎮	西漢	山西朔州市	山西省平朔考古隊
1003	鎏金熊形鎮	東漢	安徽合肥市建華窑廠工地	中國國家博物館
1003	鳥柄豆形燈	西漢	山東臨淄市	山東省淄博市博物館
1004	牛形燈	西漢	湖南長沙市北門	湖南省博物館
1004	人形足高柄燈	西漢		北京市保利藝術博物館
1005	鎏金朱雀燈托	西漢	安徽巢湖市放王崗漢墓	安徽省巢湖市文物管理所
1005	鳳鳥燈	西漢	河北滿城縣中山靖王劉勝之妻竇綰墓	中國國家博物館
1006	長信宮鎏金宮女釭燈	西漢	河北滿城縣中山靖王劉勝之妻竇綰墓	中國國家博物館
1008	當戶燈	西漢	河北滿城縣中山靖王劉勝墓	河北省博物館
1008	臥羊燈	西漢	河北滿城縣中山靖王劉勝墓	中國國家博物館
1009	錡形釭燈	西漢	河北滿城縣中山靖王劉勝墓	河北省博物館
1009	雁形釭燈	西漢	廣西合浦縣望牛嶺木槨墓	廣西壯族自治區博物館
1010	雁魚釭燈	西漢	山西朔州市	山西省平朔考古隊
1010	雁足燈	西漢	山東淄博市臨淄區	山東省淄博市齊國故城遺址博物館
1011	銀錯牛形釭燈	東漢	江蘇揚州市邗江區甘泉廣陵王劉荊墓	南京博物院
1012	雁足燈	東漢	江蘇徐州市	南京博物院
1012	羽人座高柄燈	東漢	廣西梧州市	廣西壯族自治區梧州市博物館
1013	鏤空雲氣仙人多枝燈	東漢	甘肅武威市雷臺漢墓	甘肅省博物館
1014	十枝燈	西漢	廣西貴港市羅泊灣1號木槨墓	廣西壯族自治區博物館
1015	人形吊燈	東漢	湖南長沙市	湖南省博物館
1016	鎏金熏爐	西漢	山東淄博市臨淄區	山東省淄博市博物館
1016	鎏金豆形熏爐	西漢	江蘇銅山縣小龜山崖墓	南京博物院
1017	鎏金豆形熏爐	西漢	陝西興平市豆馬村茂陵1號無名冢從葬坑	陝西省茂陵博物館
1017	豆形方熏爐	西漢		北京市保利藝術博物館
1018	獸足鼎形爐	西漢	河北滿城縣中山靖王劉勝墓	河北省博物館
1018	龜鶴座博山爐	西漢	山西朔州市	山西省平朔考古隊
1019	力士馭龍博山爐	西漢	河北滿城縣中山靖王劉勝之妻竇綰墓	河北省博物館
1020	金錯博山爐	西漢	河北滿城縣中山靖王劉勝墓	中國國家博物館
1021	未央宮鎏金高柄博山爐	西漢	陝西興平市豆馬村茂陵1號無名冢從葬坑	陝西省茂陵博物館
1021	羽人座博山爐	東漢	安徽廬江縣裴崗鄉漢墓	安徽省巢湖市文物管理所
1022	鴨形熏爐	西漢	山西朔州市	山西省平朔考古隊

頁碼	名稱	時代	發現地	收藏地
1022	鎏金豆形博山爐	東漢	江蘇揚州市邗江區	南京博物院
1023	羽人博山爐	東漢		北京市保利藝術博物館
1023	百鳥朝鳳熏爐	東漢	河南南陽市	河南省鄭州市博物館
1024	獸形銅硯盒	東漢	安徽肥東縣草鞋鄉大孤堆東漢墓	安徽省博物館
1024	鎏金獸形硯盒	東漢	江蘇徐州市土山大型磚室墓	南京博物院
1025	鎏金羽人器筒	東漢	河南洛陽市洛陽機車廠漢墓	河南省洛陽市文物工作隊
1025	羽人器座	西漢	陝西西安市南玉豐村	陝西省西安文物保護考古所
1026	地盤	東漢		中國國家博物館
1026	鎏金錯銀雲氣紋當盧	西漢	河北滿城縣中山靖王劉勝之妻竇綰墓	河北省博物館
1027	嵌錯狩獵紋俾倪	西漢	河北定州市三盤山22號墓	河北省博物館
1027	鎏金龍首形蓋弓帽	西漢		北京市保利藝術博物館
1028	錯金銀弩輒	西漢	河北滿城縣陵山中山靖王劉勝墓	河北省博物館
1028	錯金銀承弩器	西漢		北京市保利藝術博物館
1029	四馬立車	秦	陝西西安市臨潼區秦始皇陵封土西側大型陪葬坑	陝西省秦始皇兵馬俑博物館
1030	四馬安車	秦	陝西西安市臨潼區秦始皇陵封土西側大型陪葬坑	陝西省秦始皇兵馬俑博物館
1032	飛馬踏燕	東漢	甘肅武威市雷臺漢墓	甘肅省博物館
1033	鎏金馬	西漢	陝西興平市豆馬村茂陵1號無名冢從葬坑	陝西省茂陵博物館
1033	單馬輦車	東漢	貴州興義市萬屯8號墓	貴州省博物館
1034	車馬儀仗群	東漢	甘肅省武威市雷臺漢墓	甘肅省博物館
1038	說唱俑	西漢	河北滿城縣中山靖王劉勝墓	河北省博物館
1038	三戲俑	西漢	江蘇漣水縣三里墩	南京博物院
1039	四戲俑	西漢	山西朔州市	山西省平朔考古隊
1039	四戲俑	西漢	廣西西林縣普馱	廣西壯族自治區博物館
1040	鎏金動物	東漢	河南偃師市李家村	河南博物院
1040	房屋模型	西漢	廣西合浦縣望牛嶺木槨墓	廣西壯族自治區博物館
1041	倉屋	東漢	廣西梧州市	廣西壯族自治區梧州市博物館
1041	獨角獸	東漢	甘肅酒泉市下清河漢墓	甘肅省博物館
1042	陶座搖錢樹	東漢	四川彭山縣雙江鄉崖墓	四川博物院
1043	四環蟠虺紋鈁	西漢	廣東廣州市象崗山南越王墓	廣東省廣州南越王墓博物館
1043	鎏金漆繪雲紋壺	西漢	廣西貴港市羅泊灣1號木槨墓	廣西壯族自治區博物館
1044	漆繪人物魚龍紋盆	西漢	廣西貴港市羅泊灣	廣西壯族自治區博物館
1044	幾何紋筒	西漢	廣西貴港市羅泊灣	廣西壯族自治區博物館
1045	四輪烤爐	西漢	廣東廣州市象崗山南越王墓	廣東省廣州南越王墓博物館
1045	四梟足烤爐	西漢	廣東廣州市象崗山南越王墓	廣東省廣州南越王墓博物館

頁碼	名稱	時代	發現地	收藏地
1046	漆繪鋞	西漢	廣西貴港市羅泊灣1號木槨墓	廣西壯族自治區博物館
1046	文帝九年鉤鑃	西漢	廣東廣州市象崗南越王墓	廣州市南越王墓博物館
1047	划船紋銅鼓	西漢	廣西貴港市羅泊灣1號木槨墓	廣西壯族自治區博物館
1048	人面紋羊角鈕鐘	西漢	廣西貴港市羅泊灣1號木槨墓	廣西壯族自治區博物館
1048	曲折紋熏爐	西漢	廣東廣州市	廣東省廣州市博物館
1049	四連體方熏爐	西漢	廣東廣州市象崗山南越王墓	廣東省廣州南越王墓博物館
1049	鎏金獸面形屏風頂飾	西漢	廣東廣州市象崗山南越王墓	廣東省廣州南越王墓博物館
1050	鎏金蟠龍屏風托座	西漢	廣東廣州市象崗山南越王墓	廣東省廣州南越王墓博物館
1050	朱雀屏風插座	西漢	廣東廣州市象崗山南越王墓	廣東省廣州南越王墓博物館
1051	鎏金屏風轉角托座	西漢	廣東廣州市象崗山南越王墓	廣東省廣州南越王墓博物館
1051	鎏金騎俑	西漢	廣西西林縣普馱屯古墓	廣西壯族自治區博物館
1052	馬與馭手	西漢	廣西貴港市風流嶺	廣西壯族自治區博物館
1053	雙牛肩飾尊	西漢	雲南晋寧縣石寨山17號墓	雲南省博物館
1053	立牛蓋鈕尊	西漢	雲南江川縣李家山17號墓	雲南省博物館
1054	立牛蓋鈕球腹壺	西漢	雲南江川縣李家山24號墓	雲南省博物館
1054	立牛蓋鈕筒形杯	西漢	雲南江川縣李家山	雲南省博物館
1055	弧面弦紋俎	西漢	雲南騰冲縣曲石	雲南省騰冲縣文物管理所
1055	虎咬牛形俎	西漢	雲南江川縣李家山24號墓	雲南省博物館
1056	五牛綫盒	西漢	雲南江川縣李家山	雲南省博物館
1056	群獸雕塑蓋貯貝器	西漢	雲南江川縣李家山22號墓	雲南省博物館
1057	五牛貯貝器	西漢	雲南江川縣李家山17號墓	雲南省博物館
1057	八牛貯貝器	西漢	雲南晋寧縣石寨山	雲南省博物館
1058	騎士四牛蓋貯貝器	西漢	雲南晋寧縣石寨山10號墓	雲南省博物館
1059	詛盟群像蓋貯貝器	西漢	雲南晋寧縣石寨山12號墓	雲南省博物館
1060	紡織群像貯貝器	西漢	雲南江川縣李家山69號墓	雲南省江川縣文物管理所
1061	戰爭群像蓋貯貝器	西漢	雲南省晋寧縣石寨山6號墓	雲南省博物館
1062	祭祀群像貯貝器	西漢	雲南江川縣李家山69號墓	雲南省江川縣文物管理所
1063	殺人祭柱群像貯貝器	西漢	雲南晋寧縣石寨山	雲南省博物館
1064	紡織群像蓋貯貝器	西漢	雲南晋寧縣石寨山	中國國家博物館
1065	戰爭場面貯貝器蓋	西漢	雲南晋寧縣石寨山	雲南省博物館
1066	划船牛紋鼓	西漢	雲南江川縣李家山	雲南省博物館
1066	貼金鼓	西漢	雲南江川縣李家山	雲南省江川縣文物管理所
1067	划船舞蹈紋鼓	西漢	雲南廣南縣阿章寨	雲南省博物館
1067	羽人紋鑼	西漢	雲南晋寧縣石寨山	雲南省博物館

頁碼	名稱	時代	發現地	收藏地
1068	雷文圜頂鐘	西漢	雲南祥雲縣大波那	雲南省博物館
1068	編鐘	西漢	雲南晋寧縣石寨山	雲南省博物館
1070	編鐘	西漢	雲南祥雲縣檢村	雲南省祥雲縣文物管理所
1071	羊角編鐘	戰國	雲南楚雄市萬家壩1號墓	雲南省博物館
1071	曲管葫蘆笙	西漢	雲南江川縣李家山24號墓	雲南省博物館
1072	直管葫蘆笙	西漢	雲南晋寧縣石寨山	雲南省博物館
1072	踞坐男俑勺形器	西漢	雲南江川縣李家山	雲南省博物館
1073	繩索紋柄劍	西漢	雲南劍川縣鰲鳳山	雲南省博物館
1073	獵頭紋劍	西漢	雲南江川縣李家山	雲南省博物館
1074	寬刃劍及鞘	西漢	雲南江川縣李家山	雲南省江川縣文物管理所
1074	蛇柄劍	西漢	雲南晋寧縣石寨山	雲南省博物館
1075	蛙形鏨鉞	西漢		臺灣古越閣
1075	狐狸鈕鉞	西漢	雲南晋寧縣石寨山	雲南省博物館
1076	人形鈕鉞	西漢	雲南晋寧縣石寨山	雲南省博物館
1076	猴蛇鈕鉞	西漢	雲南晋寧縣石寨山	雲南省博物館
1077	雉鈕斧	西漢	雲南晋寧縣石寨山	雲南省博物館
1077	四獸鏨斧	西漢	雲南晋寧縣石寨山	雲南省博物館
1078	鳥踐蛇鏨斧	西漢	雲南晋寧縣石寨山	雲南省博物館
1078	立鳥鈕戚	西漢	雲南江川縣李家山	雲南省博物館
1079	水獺捕魚鏨戈	西漢	雲南晋寧縣石寨山	雲南省博物館
1079	鏨欄戈	西漢	雲南江川縣李家山	雲南省江川縣文物管理所
1080	豹衛鼠鏨戈	西漢	雲南晋寧縣石寨山	雲南省博物館
1080	手持劍形戈	西漢	雲南江川縣李家山	雲南省江川縣文物管理所
1081	虎噬牛啄	西漢	雲南江川縣李家山	雲南省博物館
1081	牧牛啄	西漢	雲南晋寧縣石寨山	雲南省博物館
1082	魚鷹啄	西漢	雲南晋寧縣石寨山	雲南省博物館
1082	懸俘矛	西漢	雲南晋寧縣石寨山	雲南省博物館
1083	蟾蜍紋矛	西漢	雲南晋寧縣石寨山	雲南省博物館
1083	豹鈕矛	西漢	雲南晋寧縣石寨山	雲南省博物館
1084	鳥鈕矛	西漢	雲南江川縣李家山	雲南省博物館
1084	矛頭狼牙棒	西漢	雲南江川縣李家山	雲南省博物館
1085	蛇頭紋叉	西漢	雲南晋寧縣石寨山	雲南省博物館
1085	反轉雲紋箭箙	西漢	雲南江川縣李家山	雲南省博物館
1086	獸紋臂甲	西漢	雲南江川縣李家山	雲南省博物館

頁碼	名稱	時代	發現地	收藏地
1086	蛇頭形鋬鏟	西漢	雲南江川縣李家山	雲南省江川縣文物管理所
1087	梯形鋤	西漢	雲南江川縣李家山	雲南省江川縣文物管理所
1087	尖葉形鋤	西漢	雲南江川縣李家山	雲南省江川縣文物管理所
1088	孔雀紋鋤	西漢	雲南晋寧縣石寨山	雲南省博物館
1088	鎏金帶鈎	西漢	雲南晋寧縣石寨山	雲南省博物館
1089	牛頭扣飾	西漢	雲南晋寧縣石寨山	雲南省博物館
1089	三孔雀扣飾	西漢	雲南晋寧縣石寨山	雲南省博物館
1090	水鳥捕魚扣飾	西漢	雲南晋寧縣石寨山	雲南省博物館
1090	鎏金殺掠扣飾	秦漢	雲南晋寧縣石寨山	雲南省博物館
1091	四人縛牛扣飾	西漢	雲南江川縣李家山	雲南省博物館
1091	剽牛祭柱扣飾	西漢	雲南江川縣李家山	雲南省江川縣文物管理所
1092	八人獵虎扣飾	西漢	雲南晋寧縣石寨山	雲南省博物館
1092	二騎士獵鹿扣飾	西漢	雲南江川縣李家山	雲南省博物館
1093	二人獵猪扣飾	西漢	雲南江川縣李家山	雲南省博物館
1093	二豹噬猪扣飾	西漢	雲南晋寧縣石寨山	雲南省博物館
1094	虎噬牛扣飾	西漢	雲南晋寧縣石寨山	雲南省博物館
1094	虎噬猪扣飾	西漢	雲南江川縣李家山	雲南省博物館
1095	二狼噬鹿扣飾	西漢	雲南晋寧縣石寨山	雲南省博物館
1095	鎏金盤舞扣飾	西漢	雲南晋寧縣石寨山13號墓	雲南省博物館
1096	鎏金透空歌舞方扣飾	西漢	雲南晋寧縣石寨山	雲南省博物館
1096	長方形鬥牛扣飾	西漢	雲南晋寧縣石寨山	雲南省博物館
1097	長方形狐邊扣飾	西漢	雲南晋寧縣石寨山	雲南省博物館
1097	踏歌圓扣飾	西漢	雲南江川縣李家山	雲南省博物館
1098	群猴環繞圓扣飾	西漢	雲南省晋寧縣石寨山	雲南省博物館
1098	圓形牛邊扣飾	西漢	雲南晋寧縣石寨山	雲南省博物館
1099	圓形牛頭扣飾	西漢	雲南晋寧縣石寨山	雲南省博物館
1099	神面紋扣飾	西漢	雲南曲靖市珠街八塔臺219號墓	雲南省博物館
1100	圓形鑲嵌雲紋扣飾	西漢	雲南晋寧縣石寨山	雲南省博物館
1100	女俑杖頭	西漢	雲南江川縣李家山	雲南省博物館
1101	舞俑杖頭	西漢	雲南晋寧縣石寨山	雲南省博物館
1101	立兔杖頭	西漢	雲南晋寧縣石寨山	雲南省博物館
1102	孔雀杖頭	西漢	雲南晋寧縣石寨山	雲南省博物館
1102	魚形杖頭	西漢	雲南晋寧縣石寨山	雲南省博物館
1103	孔雀衛蛇紋錐	西漢	雲南江川縣李家山	雲南省博物館

頁碼	名稱	時代	發現地	收藏地
1103	立鹿針筒	西漢	雲南江川縣李家山	雲南省博物館
1104	猛虎噬牛枕	西漢	雲南江川縣李家山17號墓	雲南省博物館
1105	執傘男俑	西漢	雲南晉寧縣石寨山	雲南省博物館
1105	執傘男俑	西漢	雲南江川縣李家山	雲南省江川縣文物管理所
1106	執傘男俑	西漢	雲南晉寧縣石寨山	雲南省博物館
1106	執傘女俑	西漢	雲南晉寧縣石寨山	雲南省博物館
1107	動物紋棺	西漢	雲南祥雲縣大波那	雲南省博物館
1108	牲畜圈欄模型	西漢	雲南晉寧縣石寨山	雲南省博物館
1109	祠廟祭祀模型	西漢	雲南晉寧縣石寨山	雲南省博物館
1110	祠廟祭祀模型	西漢	雲南晉寧縣石寨山	雲南省博物館
1111	立牛	西漢	雲南晉寧縣石寨山	雲南省博物館
1111	立鹿	西漢	雲南晉寧縣石寨山	雲南省博物館
1112	孔雀	西漢	雲南晉寧縣石寨山	雲南省博物館
1112	鴛鴦	西漢	雲南晉寧縣石寨山	雲南省博物館
1113	圈足釜	西漢	內蒙古鄂爾多斯市徵集	內蒙古自治區文物考古研究所
1113	龍頭竈	西漢	內蒙古鄂爾多斯市東勝漫賴鄉	內蒙古自治區文物考古研究所
1114	四繫鈕扁壺	西漢	內蒙古準格爾旗秦漢廣衍故城	內蒙古自治區文物考古研究所
1114	中陽銅漏	西漢	內蒙古杭錦旗	內蒙古自治區文物考古研究所
1115	牛首紋帶鐍	西漢	內蒙古鄂爾多斯市徵集	內蒙古自治區文物考古研究所
1115	鎏金神馬紋牌飾	西漢	內蒙古呼倫貝爾市	內蒙古自治區文物考古研究所
1116	鎏金神獸紋牌飾	西漢	吉林榆樹市老河村53號	吉林省博物院
1116	騎士行獵紋帶飾	西漢	遼寧西豐縣西岔溝	遼寧省博物館
1117	透雕劫掠紋帶頭	西漢	寧夏同心縣王團鄉島墩子10號墓	寧夏回族自治州同心縣文物管理所
1117	駝虎咬鬥紋牌飾	西漢	內蒙古巴林左旗	內蒙古自治區文物考古研究所
1118	佇立馬形飾	西漢	寧夏同心縣倒墩子匈奴墓	寧夏回族自治區同心縣文物管理所
1118	雙駝紋帶飾	西漢	寧夏同心縣倒墩子匈奴墓	寧夏回族自治區同心縣文物管理所
1119	鎏金雙駝紋帶飾	西漢	遼寧西豐縣西岔溝	遼寧省博物館
1119	雙牛紋帶飾	西漢	遼寧西豐縣西岔溝	遼寧省博物館
1120	雙龍紋帶飾	西漢	寧夏同心縣倒墩子匈奴墓	寧夏回族自治區同心縣文物管理所
1120	幾何紋帶飾	西漢	寧夏同心縣倒墩子匈奴墓	寧夏回族自治區同心縣文物管理所
1121	臥羊紋牌飾	西漢		內蒙古博物院
1121	四驢紋牌飾	西漢	內蒙古鄂爾多斯市徵集	內蒙古自治區文物考古研究所

西晋至五代十國（公元二六五年至公元九六〇年）

頁碼	名稱	時代	發現地	收藏地
1122	雙耳銅釜	南北朝	內蒙古和林格爾縣另皮窑村	內蒙古自治區文物考古研究所
1122	龍首柄鐎斗	晋	甘肅天水市	甘肅省天水市博物館
1123	銅鈁	北朝・北魏	寧夏固原市東郊鄉雷祖廟村北魏墓	寧夏回族自治區固原博物館
1123	銅壺	北朝・北魏	寧夏固原市東郊鄉雷祖廟村北魏墓	寧夏回族自治區固原博物館
1124	鎏金花葉鳥魚紋鎮	南朝	廣東遂溪縣附城鎮邊灣村窖藏	廣東省博物館
1124	虎子	十六國・北燕	遼寧北票市西官營子馮素弗墓	遼寧省博物館
1125	柿蒂佛像八鳳紋鏡	西晋		中國國家博物館
1125	十二生肖四神紋鏡	北朝	河南洛陽市龐家溝	河南省洛陽博物館
1126	鎏金九子神獸紋鏡	南朝	湖北鄂州市五四四工地	湖北省博物館
1127	木芯鎏金銅片馬鐙	十六國・北燕	遼寧北票市馮素弗墓	遼寧省博物館
1127	鎏金馬鞍橋護片	十六國・前燕	遼寧北票市喇嘛洞	
1128	牛車	北朝		廣東省深圳市博物館
1128	鎏金龍首杆頭	十六國・北燕	遼寧北票市西官營子馮素弗墓	遼寧省博物館
1129	鳥龜	魏晋	甘肅敦煌市七里墩	甘肅省博物館
1129	鵲尾行香爐	唐		北京市保利藝術博物館
1130	雙龍耳盤口壺	唐		北京市保利藝術博物館
1130	人面紋壺	唐	陝西西安市臨潼區新豐鎮	陝西省臨潼博物館
1131	塔頂豆式盒	唐		北京市保利藝術博物館
1131	淮南起照神獸紋鏡	隋	陝西永壽縣	陝西歷史博物館
1132	賞得秦王神獸紋鏡	隋	陝西西安市長安區南里王村	陝西省考古研究院
1132	仙山并照四神紋鏡	隋	湖南長沙市	湖南省博物館
1133	靈山孕寶團花紋鏡	隋	陝西西安市	陝西歷史博物館
1133	神獸仙禽花草紋鏡	唐		日本千石唯司
1134	狻猊葡萄紋鏡	唐	河南陝縣	中國國家博物館
1135	鳥獸葡萄紋鏡	唐		北京大學賽克勒考古與藝術博物館
1135	蟠龍紋葵花鏡	唐		日本私人處
1136	寶相花紋葵花鏡	唐	陝西西安市	陝西歷史博物館
1136	吹笙引鳳紋葵花鏡	唐	河南洛陽市	河南省洛陽市文物工作隊
1137	飛天山岳紋葵花鏡	唐	陝西西安市	中國國家博物館

頁碼	名稱	時代	發現地	收藏地
1138	雙鵲銜綬紋葵花鏡	唐	四川平武縣城隍廟	四川博物院
1138	高士引鶴紋葵花鏡	唐		北京大學賽克勒考古與藝術博物館
1139	狩獵紋菱花鏡	唐	河南洛陽市扶溝	河南博物院
1139	仙人騎獸紋菱花鏡	唐	陝西西安市郭家灘	陝西歷史博物館
1140	打馬球畫像菱花鏡	唐	江蘇揚州市邗江區金灣鎮	江蘇省揚州博物館
1140	山海神人紋八角鏡	唐		日本私人處
1141	狻猊葡萄紋方鏡	唐		日本奈良正倉院
1141	銀背鳥獸紋菱花鏡	唐	陝西西安市	陝西歷史博物館
1142	銀背鎏金鳥獸紋葵花鏡	唐		日本私人處
1143	銀背鎏金鳥獸紋菱花鏡	唐	陝西西安市	陝西省考古研究院
1143	金銀平脫鸞鳥銜綬紋鏡	唐	陝西西安市	陝西歷史博物館
1144	金銀平脫羽人花鳥紋葵花鏡	唐	河南鄭州市	中國國家博物館
1144	金銀平脫寶相花紋葵花鏡	唐	陝西西安市長安區韋曲莊	中國國家博物館
1145	金銀平脫花鳥紋鏡	唐		日本奈良正倉院
1145	螺鈿雲龍紋鏡	唐	河南陝縣後川村	中國國家博物館
1146	螺鈿高士宴樂紋鏡	唐	河南洛陽市澗西唐墓	中國國家博物館
1147	螺鈿花鳥紋葵花鏡	唐		日本神戶白鶴美術館
1147	螺鈿蓮花紋葵花鏡	唐		日本奈良正倉院
1148	鎏金函	隋	河北定州市靜志寺遺址	河北省定州市博物館
1148	飛霞寺銅塔	五代十國·後晉	浙江天台縣	浙江省博物館
1149	法門寺鎏金塔	唐	陝西扶風縣法門寺塔地宮	陝西省考古研究院
1150	鎏金鋪首	五代十國·前蜀	四川成都市王建墓	四川省成都市博物館
1150	鎏金銅棺環	唐	吉林和龍市龍頭山墓群	吉林省延邊博物館
1151	鎏金鐵心銅龍	唐	陝西西安市草場坡	陝西歷史博物館
1151	鍍銀銅豬	五代十國·前蜀	四川成都市王建墓	四川博物院

遼至清（公元九一六年至公元一九一一年）

頁碼	名稱	時代	發現地	收藏地
1152	大晟鎛鐘	北宋	內蒙古喀喇沁旗	河北省博物館
1153	鹵簿大鐘	北宋		遼寧省博物館
1154	靖康李綱鐧	北宋		福建博物院

頁碼	名稱	時代	發現地	收藏地
1154	鎏金銅腰帶	南宋	廣東臺山市南面海域沉船	廣東省博物館
1155	蹴鞠畫像鏡	南宋		湖南省博物館
1155	滿江紅詞菱花鏡	南宋		首都博物館
1156	八卦紋菱花鏡	南宋	河南洛陽市鐵路一小	河南省洛陽博物館
1156	花葉紋亞字鏡	南宋		湖南省博物館
1157	嵩德宮銅銚	遼	遼寧義縣清河門遼墓	中國國家博物館
1157	鎏金花鳥紋熏爐	遼	河北新樂市城關鎮陶家莊收集	河北省博物館
1158	盤龍柱座蓮花童子燭臺	遼	内蒙古巴林左旗遼上京遺址徵集	内蒙古自治區文物考古研究所
1159	龍紋鏡	遼	内蒙古阿魯科爾沁旗耶律羽之墓	内蒙古自治區文物考古研究所
1159	寶珠雁紋鏡	遼		遼寧省博物館
1160	四童龜背紋鏡	遼	遼寧建平縣張家營子	遼寧省博物館
1160	菊花紋鏡	遼		遼寧省博物館
1161	連錢錦紋亞字鏡	遼	遼寧鐵嶺市有色金屬熔煉廠	遼寧省博物館
1161	鎏金鏨花刻經銅函	遼	河北新樂市城關鎮陶家莊收集	河北省博物館
1162	雙龍紋鏡	金		遼寧省博物館
1163	龜鶴人物紋鏡	金	吉林榆樹市	吉林省榆樹市博物館
1163	韓州司判牡丹紋鏡	金	吉林梨樹縣	吉林省博物院
1164	四童戲花紋葵花鏡	金	吉林長春市	吉林省博物院
1164	吳牛喘月紋柄鏡	金	吉林德惠市	吉林省長春市文物管理委員會
1165	坐式銅龍	金	黑龍江哈爾濱市阿城區上京會寧府遺址	黑龍江省博物館
1165	西夏文敕牌	西夏		中國國家博物館
1166	鎏金金剛杵	大理國	雲南大理市崇聖寺三塔塔頂	雲南省博物館
1166	青銅塔	南宋	雲南大理市	雲南省大理白族自治州博物館
1167	噶當塔	宋		西藏自治區拉薩市布達拉宮
1167	全寧路三皇廟祭器	元	内蒙古赤峰市松山區猴頭溝鄉	内蒙古自治區文物考古研究所
1168	鎏金象頭足銅爐	明		廣東省博物館
1168	阿拉伯文帶座銅爐	明		中國國家博物館
1169	雲紋銅熏爐	明		中國國家博物館
1170	獸形銅熏爐	明		河北省博物館
1170	牧童騎牛形熏爐	明		河北省博物館
1171	鄭和銅鐘	明		中國國家博物館
1172	永樂大鐘	明		北京市大鐘寺古鐘博物館
1173	五體文夜巡銅牌	元	内蒙古興安盟科右中旗	内蒙古自治區文物考古研究所
1173	豹房勇士銅牌	明		中國國家博物館

變形竊曲紋湯鼎

東周

安徽青陽縣廟前汪村出土。

高25、口徑18.5厘米。

肩部對置環耳，腹飾獸體捲曲紋、蕉葉紋。三蹄足根部飾獸面紋。現藏安徽省博物館。

郘㬊尹瞀湯鼎

東周

浙江紹興市坡塘306號墓出土。

高40.8、口徑19.2厘米。

小口上罩直壁平頂蓋，蓋中心有環鈕，周列三獸形環鈕。器爲圓肩、鼓腹、圜底，三浮雕獸首蹄足，肩兩側對置近似環形的立耳，耳的兩個下端作龍首形。蓋面飾交龍紋和蟠虺紋，器腹中層飾蟠虺紋地的圓渦紋，上下排列三角紋。蓋內和器肩對銘四十四字，記郘㬊尹瞀作湯鼎事。

現藏浙江省博物館。

鳥鈕蓋湯鼎

東周

安徽銅陵市車站出土。

高27.1、口徑13.9厘米。

蓋頂圓雕立鳥鈕，肩對置獸首環
耳，腹兩面中部飾扉棱。腹飾蟠
虺紋、垂葉紋、凸弦紋。

現藏安徽省博物館。

垂鱗紋鬲

東周

江蘇南京市浦口區長山子出土。

高22.5、口徑19厘米。

腹飾垂鱗紋，耳外側陰刻曲綫形
花紋。

現藏南京博物院。

蟠虺紋盤形簋

東周

江蘇無錫市北周巷出土。

高7.6、口徑26.3厘米。

簋低矮似盤，口微侈，頸稍束，腹甚淺，大圈足。兩側
各有一個透雕動物紋扉棱狀耳。器腹及圈足飾細密小方
格，方格內有短曲綫，大概仿自蟠虺紋；腹間飾對稱四
乳釘紋。

現藏江蘇省無錫市博物館。

格地乳釘紋簋

東周

江蘇丹陽市司徒窖藏出土。

高16.5、口徑27.7厘米。

直口，鼓腹，平底，矮圈足。腹對置雙耳，上起鏤空扉
棱。頸、圈足飾交連紋，腹飾百乳方格雷紋。

現藏安徽省博物館。

東周（公元前七七一年至公元前二二一年）

糾結變形龍紋簋

東周

江蘇丹陽市司徒窖藏出土。

高11.2、口徑20.8厘米。

侈口，束頸，鼓腹，圈足。肩對置花角龍形雙耳。腹飾變形交連夔紋，空白處點綴圈點紋。上下以三角紋爲欄。

現藏江蘇省鎮江博物館。

變形竊曲紋簋

東周

江蘇丹陽市司徒窖藏出土。

高10.4、口徑18.7厘米。

侈口束頸，鼓腹圈足，器底下有一半圓形環。腹飾兩層變形竊曲紋爲主題紋樣，上層以單聯珠紋和雙乳釘紋爲邊欄，下層上下邊欄都是雙乳釘紋。

現藏江蘇省鎮江博物館。

宋公欒瑚

東周

河南固始縣侯古堆1號墓出土。

高25厘米，口長33.5、寬26.5厘米。

瑚兩件成對，此爲其一。蓋、身形制相同，蓋冠或器足外侈，每面中部開寬扁的闌門。蓋坡和器腹斜傾較甚，兩側各施仰首捲尾的獸形鋬耳，坡腹與口部直壁相交處有一窄平臺。器表均飾雲雷紋。器內鑄銘文共二行二十字"有殷天乙唐孫宋公欒作其妹勾吳夫人季子媵瑚"。字體古雅，與當時楚系文字風格有別。作器者宋公欒即宋景公，其在位年代爲公元前516－前451年，此瑚年代應在景公前期。

現藏河南省文物考古研究所。

東周（公元前七七一年至公元前二二一年）

龍耳橫瓦紋尊

東周

安徽南陵縣綠嶺團結村出土。

高33.2、口徑27.6厘米。

尊為早期的折肩尊樣式，侈口、折肩、圈足，祇是圈足較低且寬大。該尊最具特點是肩兩側誇張的龍形耳，龍形如穿山甲，回首捲尾，足如捲雲。紋飾簡單，尊腹飾橫瓦紋，圈足飾雲雷紋，龍身飾折綫紋和重環紋。

現藏安徽省南陵縣文物管理所。

幾何紋尊

東周

浙江紹興市坡塘306號墓出土。

高20、口徑18.3厘米。

三段式觚形尊。口部急劇外侈，頸部長而直，腹部短而鼓，兩段式高圈足。頸和圈足近腹部飾細小的鋸齒紋和方格紋，腹部飾凸起陽綫組成的"亞"字形對捲雲紋，并襯以細小的棘刺紋。尊的造型有西周前期中原銅尊遺風，而紋飾已是典型的東周江南銅器的風格了。

現藏浙江省博物館。

蟠虺紋缶

東周

江蘇鎮江市丹徒區大港鎮北山
頂出土。

高36.2、口徑16.2厘米。

口罩弧頂低蓋，蓋周列三環
鈕。器爲短直頸，圓鼓腹，
假圈足，腹部對稱置四環
耳。蓋中飾火紋，腹有兩道
絢索裝凸弦紋間飾蟠虺紋。
蓋係後配。

現藏南京博物院。

絡帶紋罍

東周

江蘇鎮江市丹徒區諫壁鎮糧
山出土。

高39.3、口徑30.5厘米。

中口短沿，圓肩大平底，底接
三隻短小的蹄足。肩兩側設顧
首螺角龍形耳，内套葫蘆形
環。器腹以交織絢索的絡帶紋
分劃爲大方格，格内填以蟠虺
紋。絡紋上下飾連續三角形的
立葉紋和垂葉紋。

現藏江蘇省鎮江博物館。

蟠螭紋罍

東周

浙江紹興市坡塘306號墓出土。

高41.5、口徑28厘米。

中口短頸，廣肩圓轉，弧腹平底，下承三短足。肩部對置環耳套環鏈。器表有絢索紋箍帶四道，最上的肩部飾連續三角紋，腹部全飾蟠螭紋。肩有銘文一周，漫漶不清。

現藏浙江省博物館。

蟠螭紋甗形盉

東周

浙江紹興市坡塘306號墓出土。

高26厘米。

甑、鬲合體。甑部較小，形如淺腹盆，其上扣弧頂蓋，蓋頂中有鈕套環爲捉手，周立三環形鈕。鬲部較大，腹部外鼓，聯襠柱足，腹部前有曲頸獸首管流，一側有圓筒形直柄。蓋面飾蟠螭紋，器身的甑部和鬲部都飾以蟠螭紋帶，其上下飾連續三角形的立葉紋和垂葉紋。

現藏浙江省博物館。

吴王夫差盉

東周

高27.8、口徑11.7厘米。

小口直頸，上罩平頂直壁的器蓋，蓋頂中心有鈕套環鏈與透空的提梁相連。器腹如扁球體，前有雙曲的龍頭短管流，後有透空蟠虺狀的扉棱形鋬，下設三隻略外撇的蹄足。提梁固定在盉身肩部，其形如虹形之龍，龍頭在前，龍尾小且上捲，提梁上有透雕蟠虺狀扉棱，扉棱在提梁正上方中斷，以便捉手。蓋頂、蓋壁各飾一周蟠虺紋，器身有三道箍帶，其間填以細小的蟠虺紋，最下一道箍帶下有垂葉紋。在盉的肩部近口處，鑄有銘文一周"吾王夫差吳金鑄女子之器吉。"銘文意思是吳王夫差用銅爲某女子鑄造之器。

現藏上海博物館。

幾何紋龍獸盉

東周

浙江紹興市坡塘306號墓出土。

高29厘米。

小口罩直壁平頂蓋。器爲短直頸，扁球形體，底接獸面三蹄足。器腹前有折轉的龍首形管流，後有鏤空扉棱狀鋬，肩部有龍首提梁，提梁前後也裝飾透雕扉棱。在提梁後下側還有小環，原先應有鏈或繩索與器蓋相連。盉的流口和蓋面有繁複的立體裝飾，流口爲龍首的角冠，蓋中心設獸形鈕，周圍有走獸十六個，昂首食人之蛇十條。蹄足上部浮雕龍紋，間立小虎，餘飾三角形、菱形幾何紋。

現藏浙江省博物館。

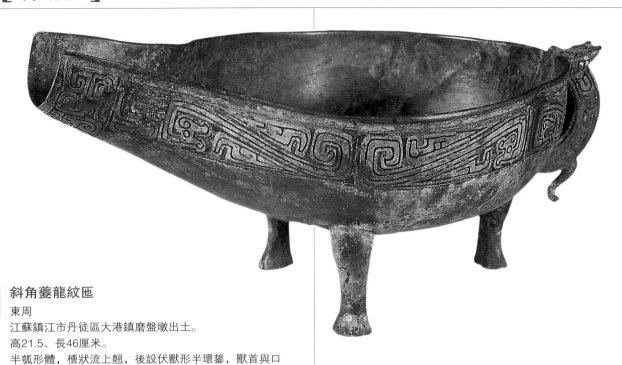

斜角夔龍紋匜

東周

江蘇鎮江市丹徒區大港鎮磨盤墩出土。

高21.5、長46厘米。

半瓠形體，槽狀流上翹，後設伏獸形半環鋬，獸首與口沿平齊，圜底下接三隻半圓的蹄足。器口沿下飾斜角夔龍紋寬帶，流口處飾對捲雲紋。

現藏南京博物院。

犧首匜

東周

江蘇武進縣淹城村內護城河出土。

高21、口徑23.7厘米。

捲沿矮頸，圓肩鼓腹，矮圈足。器腹一側有犧首管狀流，牛首上昂，雙角尖銳；另一側相對處爲扉棱狀鋬。器腹飾細密的垂鱗紋，牛首飾雲雷紋，頸也飾細小的垂鱗紋。該匜體形如簋，流形似盉，這在銅匜中僅此一例。

現藏中國國家博物館。

工虞季生匜

東周

江蘇盱眙縣舊鋪鎮出土。

高19、長29厘米。

橢圓形體，深腹，平底。封頂獸首形流。口下飾細密變形蟠虺紋。內底鑄銘一行九字，記工季生作器事。

現藏江蘇省盱眙縣文化館。

徐王義楚盤

東周

江西靖安縣水口鄉出土。

高14、口徑37.6厘米。

窄折沿，微鼓腹，大平底，腹兩側置獸耳環耳。口下飾變形蟠虺紋，紋飾中散布圓圈紋。腹飾橫瓦紋。器內底鑄銘十二字，記徐王義楚自作器事。

現藏江西省博物館。

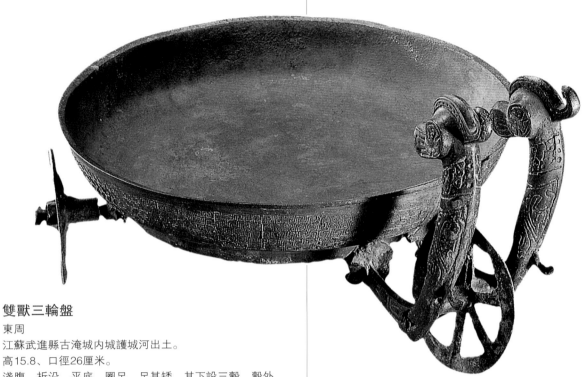

雙獸三輪盤

東周

江蘇武進縣古淹城內城護城河出土。

高15.8、口徑26厘米。

淺腹、折沿、平底、圈足，足甚矮，其下設三轂，轂外安六輻小輪，前輪出雙轅，轅作龍首形，反首轉向盤內。盤外壁飾細密的棘刺紋，使得該盤帶上了鮮明的東南地區青銅文化的地方色彩。銅盤做成帶輪的車形，這是唯一的一例。它與同出的犧首匜一樣，是吳越文化銅器中獨具匠心的器具。

現藏中國國家博物館。

吳王夫差鑑

東周

傳河南輝縣市出土。

高45、口徑73厘米。

平折沿、束頸，有肩，平底。口部與肩部之間對列四耳，其中兩耳為攀附器沿的捲尾爬龍形，兩耳為獸首半環形，內套圓環。頸部、肩部和上腹部各飾一周細密的具有東南地區傳統風格的蟠虺紋，其下施垂葉紋。腹內鑄銘文二行十三字"攻吳王夫差擇其吉金自作御監（鑑）。" 吳王夫差是歷史上著名的君王，共遺留下三件銅鑒，此為其一。

現藏上海博物館。

吳王光鑑

東周

安徽壽縣蔡侯墓出土。

高35、口徑57厘米。

銅鑑一對兩件，形制、大小、紋飾和銘文都相同，此爲
其一。方唇平折沿，短直頸，肩不顯著，腹部下收，平
底。頸肩兩側有內套垂環的獸首環耳。器表密布蟠虺
狀棘刺紋。器腹內壁有四個小圓環，內底鑄銘文八行
五十二字，銘文的大意是：某年五月的吉日，吳王光選
擇了優良青銅爲即兒叔姬製作了宗廟祭祀用銅鑑，希望
叔姬能尊敬君主，子子孫孫都不要忘記。吳王光鑑形態
與中原諸國相似，紋飾則爲典型的吳越文化風格。它對
研究吳國歷史和吳、蔡關係等有着重要的作用。

現藏安徽省博物館。

東周（公元前七七一年至公元前二二一年）

蟠虺紋鑑

東周

浙江紹興市坡塘306號墓出土。

高16、口徑40厘米。

形似盆而略大，折沿方唇，束頸斜肩，淺腹平底，未見器耳痕迹。口沿及肩部飾勾連雲紋，頸和腹部飾蟠虺紋，後者目及關節處施凸起的空心小圓圈。

現藏浙江省博物館。

徐令尹旨斪爐

東周

江西靖安縣水口鄉出土。

高19、口徑55厘米。

直口方唇，直腹平底，底以十根外撇的龍首柱形斜撑接大圓環爲足，腹側對置環耳，耳穿環鏈爲提手。腹壁滿布小方格狀的蟠虺紋。内底鑄銘一行十八字，記徐令尹旨斪作爐盤事。

現藏江西省博物館。

者減鐘

東周

傳江西清江縣出土。

高38.2、銑距20.6厘米。

共出土十一件，今存世四件，此爲其中之一。鐘屬甬鐘類，鐘體較短而甬部較長。甬有旋有幹，鐘體較鼓，臺柱狀枚。鼓部飾蟠龍紋，甬部和篆部飾雷紋。刻銘二十六字，記吳王皮難之子者減自作瑤鐘事。

現藏故宮博物院。

王子嬰次鐘

東周

高42.8、銑距21.5厘米。

鐘爲甬鐘類。甬有旋有幹，鐘枚呈臺柱形。鐘的鼓部飾對稱的大蟠螭紋，篆部飾小蟠虺紋。鉦上和左鼓刻銘四行二十字，銘文爲"八月初吉，日唯己□。王子嬰次自作和鐘，永用宴喜"。此鐘與王子嬰次爐都是徐王子所鑄的銅器。

現藏故宮博物院。

儔兒鐘

東周

高22.5、銑間12.6厘米。

傳世四件，此爲其一。鐘屬鈕鐘類，鐘體較長而鐘鈕較短。鈕以透雕狀雙龍承托，螺旋狀枚。舞、篆、鼓部飾帶羽翅的蟠螭紋。鼓側鑄銘文三十字，記徐王義楚之臣儔兒作器事。可知該編鐘是徐國編鐘，年代與徐王義楚盤同時。

現藏上海博物館。

能原鎛

東周

傳江西高安市出土。

高40.8、寬31.8厘米。

合瓦形體，雙龍對鈕，口部平齊。螺形枚。篆、隧均飾獸體捲曲紋。鉦、鼓等部位共有銘文四十八字，記越、邾、莒三國之盟辭。

現藏故宮博物院。

配兒鈎鑼

東周

浙江紹興市狗頭山出土。

高40、柄長14.5厘米。

同出甲、乙兩器，此爲甲器。鐘體瘦長，凹弧形口，執柄根部加粗。體近舞處飾三角紋和雲雷紋，舞部飾雲雷紋。鐘體兩側有銘六十餘字，記吳王子配兒征戰立功作鈎鑼事。

現藏浙江省博物館。

帶柄鐸

東周

浙江紹興市印山大墓出土。

高23.8厘米。

鐸體呈短合瓦形，弧形上口略大于平底下端，鐸底外接短方銎。銎内裝有方形木柄，鐸腔内有可活動的圓木舌。出土時木柄和木舌均保存完好。

現藏浙江省紹興市文物保護管理所。

人面紋錞于

東周

江蘇鎮江市丹徒區諫壁鎮王家山古墓出土。

高56.5厘米。

錞于共三件，形狀相同，大小相次，此爲其一。圜頂屈身式。其圜頂中心設虎形鈕，以便穿繩懸挂。肩頭圓和外鼓，肩下腰部前面突起而後部凹入。口部侈斂情況不一，前後縱向内收而左右橫向外侈。整個于正視左右對稱，側視則向後傾斜。三器紋飾基本相同，都是虎鈕飾雷紋，頂面飾雲紋和三角雲紋三周，肩腹部飾相間的三道旋渦紋和兩道簡化呈三角雲紋狀的變形夔龍紋，在肩頭後方還飾有神面，口部飾對稱的鳥紋和變體雲紋。

現藏江蘇省鎮江博物館。

吳王夫差劍

東周

長58.3厘米。

劍身分爲前窄後寬的兩段，中縫起脊，劍鋒尖刺，刃緣明顯。劍格上端尖而下内捲，兩面飾鑲嵌綠松石的獸面紋。劍莖爲圓柱形，中有兩道凸箍。劍身光素，近格處鑄銘文二行十字“攻吳王夫差自作元用。”字體爲纖細有力的正書，其中“攻”、“吳”、“夫”、“差”等字與其它吳王夫差劍字形不同，頗有特色。吳王夫差劍傳世及出土的至少有六件，這柄吳王夫差劍精緻完好，在同銘銅劍和吳國銅劍中具有代表性。

現藏臺灣古越閣。

越王者旨於賜劍

東周

長52.4厘米。

爲青銅鑄成，劍外套有烏黑如新的木胎漆劍鞘。劍身有中脊，兩刃平行，前部略窄，刃緣分明，前端漸收成鋒。劍格寬厚，前作人字坡形，後側兩端內捲。劍莖爲圓柱形，上有兩箍，後接圓盤形劍首，劍莖上保存着有絲質纏侯。在劍格兩面鑄鳥蟲書的"戉（越）王戉（越）王者旨於賜"銘文八字。銘文爲雙鈎，筆道間鑲嵌綠松石。越王者旨於也就是文獻中的越王勾踐之子"鼠與"或"與夷"（公元前464－前459年）。越王者旨於賜銅劍共發現八柄，此劍保存最好，光潔鋒利，至今仍然寒氣逼人。

現藏浙江省博物館。

越王勾踐劍

東周

湖北江陵縣望山1號楚墓出土。

長55.6厘米。

劍身呈前窄後寬的兩段式，中央起脊，刃緣分明。劍身兩面滿飾黑色的菱形幾何圖案。劍格前尖後捲，上鑄獸面紋，紋飾正面用藍色琉璃，背面用綠松石鑲嵌。圓柱形劍莖，後有圓臺形劍首（鐔）。劍身近格處有錯金鳥蟲書二行八字"戉（越）王鳩（勾）淺（踐）自作用劍。"文字爲錯金鳥蟲書，在暗藍色劍身的襯托下，顯得格外鮮明。越王勾踐劍是目前發現的年代明確的最早有銘越國兵器。

現藏湖北省博物館。

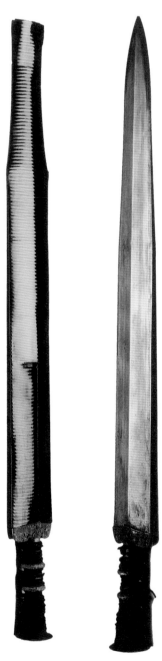

東周（公元前七七一年至公元前二二一年）

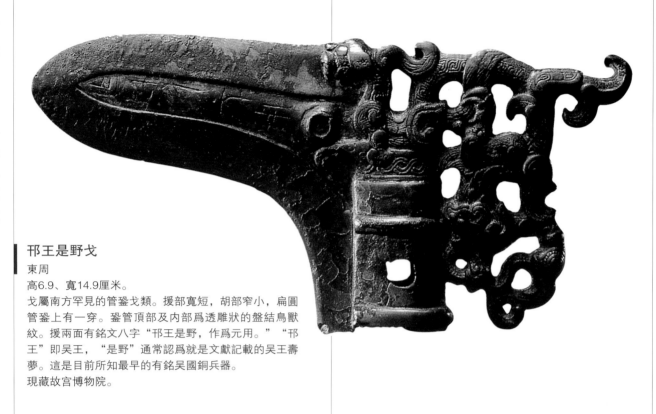

邗王是野戈

東周

高6.9、寬14.9厘米。

戈屬南方罕見的管銎戈類。援部寬短，胡部窄小，扁圓管銎上有一穿。銎管頂部及內部爲透雕狀的盤結鳥獸紋。援兩面有銘文八字"邗王是野，作爲元用。""邗王"即吳王，"是野"通常認爲就是文獻記載的吳王壽夢。這是目前所知最早的有銘吳國銅兵器。

現藏故宮博物院。

攻吳王光戈

東周

河南洛陽市金村出土。

高22、寬9.7厘米。

長援，直胡，長方形內，近闌部三穿，內有一穿。內部有陰綫文字似的花紋。援本部和胡部正反面有鳥蟲書的銘文六字，銘文分三處，前兩處分別爲"攻郚王"、"光自"，第三處字不識。

現藏故宮博物院。

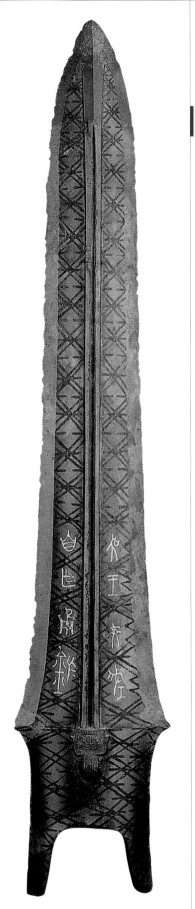

吳王夫差鈹

東周

湖北江陵縣馬山5號墓中出土。

高29.5、寬3厘米。

鈹形似矛，器身中空，中有三棱脊，兩側直刃鋒利，橢圓形短骹，口緣內凹，骹旁有虎頭環鈕。器形遍布棱形格紋，鈹身有錯金銘文兩行八字"吳王夫差自作用鈹"。此鈹製作精工，是吳國兵器中的精品。

現藏湖北省博物館。

菱形暗格紋矛

東周

長25.8、葉寬4.3厘米。

長身短骹，身有中脊，兩葉不顯，骹端呈弧形。骹的一側有單耳，葉上除兩刃外，滿布菱格形暗紋。

現藏臺灣古越閣。

立鳥杖首及跪人杖鐓

東周

浙江省紹興縣灘渚鎮中莊村壩頭山出土。

首高26.7、鐓高30.6厘米。

杖首上小下大，上立一短喙翹尾鳩，中有箍狀凸棱二道，下爲圓銎。杖鐓上大下小，上爲圓銎，中部也有凸棱二道，下有一裸體文身人像，跽坐以頭承杖。杖上紋飾首、鐓基本相同，主要是雲雷紋、三角紋、蟠虺紋、水波紋等。紋飾呈箍帶形，布滿杖首及杖鐓。鳩杖是先秦時期越人權貴長老持有的帶有權力和地位象徵的禮儀用器。杖鐓下壓人，這也有聚治民衆的含義。

現藏浙江省紹興市文物管理所。

鳳鳥紋人形足方座

東周

浙江紹興市坡塘306號墓出土。

高16、邊長6厘米。

盝頂直壁形方座，座下四角以跪伏
人爲足，座上立抹角方柱的柱礎及
插座，插座兩側各有兩個圓穿。座
的四坡和四壁以幾何亞腰紋爲邊
欄，飾相對或相背的鑲嵌綠松石的
鳳鳥紋，插座上鑄浮雕狀交龍紋。
方座內灌鉛。

現藏浙江省博物館。

伎樂敞廳模型

東周

浙江紹興市坡塘306號墓出土。

高17、面闊13、進深11.5厘米。

模型下部爲不高的臺基。屋身面
闊、進深三間，前面開敞，僅保留
檐柱兩根，兩山壁面爲格子落地
窗，後壁辟小窗一扇。屋蓋爲四角
攢尖頂，頂尖處立八角柱，柱頂臥
一鳥。臺基和屋面都飾以勾連雲
紋，頂飾以反轉雲紋。屋內有圓雕
狀裸體伎樂六人，一人敲擊懸鼓，
一人吹笙，二人撫琴，二人正踞坐
交手而歌。寫實意味極爲濃厚。坡
塘伎樂銅屋是極爲罕見的完整的東
周晚期建築模型。

現藏浙江省博物館。

幾何紋鼎

東周
湖南湘潭市古塘橋出土。
高26、口徑28厘米。
耳外侈，三蹄足稍内斂。腹及
耳外側均飾幾何紋。
現藏湖南省博物館。

變形火龍紋鼎

東周
湖南資興市舊市鄉出土。
高19.2、口徑13.6厘米。
立耳，腹平底，三高足内斂，内側作
空槽狀。雙耳内側飾變形龍紋，腹飾
火紋、變形龍紋相間紋帶，上下以曲
折紋帶爲欄。
現藏湖南省博物館。

幾何紋撇足鼎

東周

湖南湘潭市古塘橋出土。
高21、口徑23厘米。
直立耳，淺鼓腹，圜底下接三條
外撇的空心足，一足內側爲空槽
形。耳內側飾相對的反轉雲紋，
腹飾首尾相接的蟬紋帶，其下接
三角垂葉紋。這是混合了中原與
百越造型風格的越系鼎。
現藏湖南省博物館。

蟠虺紋鼎

東周

廣西恭城瑤族自治縣秧
家村出土。
高55.5、口徑57厘米。
侈口束頸，鼓腹圜底，
頸兩側附直方耳，腹下
有三獸面粗蹄足。雙
耳、頸、腹上部均飾細
密蟠虺紋，腹部蟠虺紋
上下以絢索紋爲邊欄，
下飾三角垂葉紋。典型
的東周中晚期之際的楚
系盂鼎。
現藏廣西壯族自治區博
物館。

蟠虺紋盆

東周

湖南衡南縣保和圩出土。

高21、口徑24厘米。

覆盤式蓋，蓋頂有圈狀捉手，蓋沿有三卡口。器爲折沿束頸，肩部微凸，下接平底，肩兩側對置繩紋環耳。蓋面飾三角紋和蟠虺紋，器頸飾雲雷紋，腹部亦飾蟠虺紋。

現藏湖南省博物館。

斜格對折雲紋尊

東周

廣西恭城瑤族自治縣秧家村出土。

高19、口徑18厘米。

侈口捲沿，曲頸垂腹，兩段式圈足。頸飾鋸齒紋邊欄的細綫蟠虺紋，腹飾平行陽綫加連點紋構成的方格米字紋，足飾雲雷紋加鋸齒紋。尊的造型守舊而紋飾已有創新，具有典型的越系銅器風格。

現藏廣西壯族自治區博物館。

蛇噬蛙紋尊

東周

廣西恭城瑤族自治縣秧家村出土。

高16、口徑16.8厘米。

敞口曲頸，溜肩垂腹，兩段式高圈足。頸部和腹部均以雙蛇食蛙（或蜥蝪）爲主題紋樣，以建鼓、鳩柱等爲間隔紋樣，并以雲雷紋襯地，以聯珠紋和折綫紋爲邊。下腹飾以波浪紋，圈足飾以竊曲紋。紋飾綫條細密，母題多用蛇蟲，具有濃鬱的百越文化氣息。

現藏中國國家博物館。

蛇紋尊

東周

湖南衡山縣湘江堤岸出土。

高21、口徑15.5厘米。

侈口，捲沿，長頸，溜肩，垂腹，圈足較高且外撇。器口內沿面有兩圈各二十個蛇紋，蛇頭相對抬起，好似橋型鈕。尊頸下部飾大三角構圖的對折雲紋，尊肩腹部的主紋以四片桑葉狀作爲構圖輪廓，其上散布蠶形的變體蛇紋。紋飾帶有鮮明的百越系銅器特徵。

現藏湖南省博物館。

絡帶蟠虺紋罍

東周

廣東清遠市馬頭岡1號墓出土。

高33.6、口徑22.8厘米。

侈口直頸，廣肩圓轉，斜腹下接矮圈足。肩部對置環鈕套環耳。器表以絡帶紋爲邊欄，內填蟠虺紋，圈足外飾以絢索紋。器物具有中原三晉銅器風格，給人以器物外罩索套、下墊編織器墊的感覺。

現藏廣東省博物館。

蟠龍紋罍

東周

廣西恭城瑤族自治縣秧家村出土。
高39.5、口徑20厘米。
圓口，直頸，溜肩，平底。蓋頂有
圈形捉手，周有四環鈕，蓋沿有三
長扣。肩兩側對置回首龍形雙耳。
蓋飾蟠蛇紋、三角紋，肩飾繩紋，
浮雕四圓形飾，上飾蟠龍紋。腹飾
幾何紋、蟠虺紋、蟠龍紋帶，上多
浮雕圈點形飾。
現藏廣西壯族自治區博物館。

蟠虺紋浴缶

東周

湖南湘鄉市大茅坪出土。
高29、口徑19.2厘米。
斂口，直頸，鼓腹，平底。
蓋頂有圈形捉手，肩飾獸首
形對耳。蓋、腹飾蟠虺紋，
肩及下腹飾三角紋，肩、腹
間凸飾四圓形火紋。
現藏湖南省博物館。

錯銀填漆雲龍紋罍

東周

廣東肇慶市松山北嶺古墓出土。

高23.5、口徑14.9厘米。

兩件成對，此爲其一。器帶傘狀小蓋，蓋頂有鈕，鈕內套環。器身爲長頸侈口、聳圓肩、矮直圈足之形。罍口寬平內折，肩部有對稱的銜環鋪首。器表飾狀如行雲般的交龍紋。紋飾分爲寬窄不等的六層，它是先鑄出陰綫的花紋，然後在細綫條中錯銀，粗綫條中填漆，構成紅白相間雲龍圖案。紋飾綫條輕快流暢，色彩鮮明艷麗。現藏廣東省博物館。

蟠虺紋浴缶

東周

廣東清遠市馬頭岡2號墓出土。

高28.2、口徑18.8厘米。

平口折沿，肩原有粗大半環耳，已脫落。肩有四凸起圓形飾，腹飾繩紋、蟠虺紋和三角紋。

現藏廣東省博物館。

變形龍紋提梁壺

東周

廣西武鳴縣元龍坡147號墓出土。

高28.5厘米，口長10、寬12.5厘米。

橢圓形體，頸部對置環鈕，穿獸首繩索形提梁。蓋有圓形捉手，蓋面及器頸飾變形龍紋。

現藏廣西壯族自治區博物館。

東
周
（公元前七七一年至公元前二二一年）

獸形尊

東周

廣西賀縣沙田鎮龍中山岩洞墓出土。

高53.7厘米。

立獸形器，背有橢圓形孔，上有蓋，蓋頂浮雕盤蛇，并以蛇頭爲鈕。蓋、器間有鏈相連。器後飾直立龍形鋬。獸首雙角、雙耳直立，圓目突出，四足短矮，内側爲空槽。器表飾變形蟠龍紋，并以雷紋襯地。

現藏廣西壯族自治區賀縣博物館。

凸圈目蟠虺紋鑑
東周
湖南湘鄉市牛形山出土。
高14、口徑32.9厘米。
折沿直頸，淺腹平底，底邊接三矮足。頸肩之間有獸首雙耳套環。頸部和腹部飾變形蟠虺紋，其間點綴大量空心凸圈紋，可能是表現虺蛇的眼睛。肩部飾絢索紋和雲雷紋各兩道，下腹也飾蟠蛇紋。
現藏湖南省博物館。

蟠虺紋鑑
東周
江西樟樹市臨江鎮出土。
高18.1、口徑42厘米。
直口，束頸，平底。雙耳殘失。器底設三小足，頸、腹飾浮雕蟠虺紋，下腹飾三角形雷紋，間飾繩紋。
現藏江西省博物館。

乳釘紋盒

東周

河南固始縣侯古堆出土。

高7.5、口徑4.8厘米。

小口，直頸，雙層扁球形腹，矮圈足。蓋頂有
鳥形鈕，肩對置環耳。通體飾方格乳釘紋。

現藏河南省文物考古研究所。

變形獸面紋鐘

東周

高39、銑間寬22厘米。

橋形鈕，平于。兩銑飾花冠鳳鳥形扉棱，
鐘體上下飾兩組獸面紋，以乳釘紋爲欄，
目、鼻浮雕。

現藏湖南省衡陽市博物館。

雲雷紋鼎

東周

四川成都市百花潭中學10號墓
出土。

高21、口徑21.5厘米。

直口微斂，附耳垂直，鼓腹平
底，腹側接三隻外撇的蹄足，
蹄足短小。口下和腹中部各飾
凸弦紋一道，凸弦紋間及其下
均飾以雲雷紋。

現藏四川博物院。

邵之食鼎

東周

四川成都市新都區馬家鄉九連
墩大墓出土。

高26、口徑22厘米。

一套五件，大小相次，形態和
紋飾近似，但祇有這件最小的
有銘文且爲楚地原產，其餘皆
爲仿製。鼎的子口上覆圜頂
蓋，蓋頂中心有龍鈕提環，周
圍分列三隻臥牛形鈕。鼎身爲
直子口，鼓腹，平底，附耳較
直，三蹄足較直較高。蓋頂中
心飾三角雷紋、絢索紋和點地
勾連紋各一周，三足上部爲變
形獸面紋。器蓋、身主體紋樣
爲帶狀布列的點地鳳鳥紋。鳳
鳥紋共四周，蓋、器各兩周。

"邵之食鼎"銘文鑄于蓋內。

現藏四川博物院。

連體釜甑

東周

四川成都市新都區馬家鄉九聯墩大墓出土。
高28、口徑20厘米。
甑、釜連鑄爲一體。其形爲侈口折沿、圓肩
束腰、鼓腹圜底，腰内有條孔形圓箅，甑的
肩部兩側有繩索形雙環耳。通體素面。
現藏四川博物院。

分體釜甑甗

東周

重慶涪陵區小田溪1號墓出土。
通高36.8厘米。
甑、釜分別鑄造，可以分開。甑爲
侈口、折沿、鼓腹、平底、矮圈
足，底有放射狀條形箅孔。釜爲小
口、束頸、鼓腹、圜底，底有三小
足。甑和釜的肩部均對置繩索形環
耳。通體素面。
現藏四川博物院。

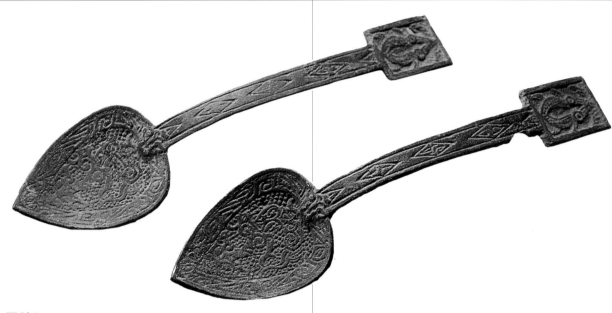

雲紋匕

東周

四川成都市出土。

長21厘米。

桃形匕首，上面微內凹，後接中部上弧的長
條形扁柄，柄後爲方形匕尾。匕首周邊以捲
雲紋爲框，內飾麻點地紋的變形散虺紋，柄
面飾菱格紋，匕尾飾蛙紋。

現藏四川博物院。

豆形案

東周

重慶涪陵區小田溪1號墓出土。

高43、臺徑33.7厘米。

此器或稱作“燈臺”，恐誤。器形如豆，上
有圓形的案面，中有細柄，下有圈足。案面
略凹但很淺，不能盛油脂，也無挑起燈芯的
火主，不可能是燈臺，應當是放置同出小銅
碗的案子。推測這種銅製豆形案是放置在炭
爐上，用以烤炙、加熱和承托的器具。

現藏四川博物院。

獸紋尖底盛

東周

四川成都市青羊宮東周墓出土。

高9、腹徑11.4厘米。

由一深一淺的尖底盞相合而成。蓋爲短直壁攢尖頂。器身微侈口、雙鼓腹、尖底。蓋、身各施鑄紋兩周：器蓋上層及器身下層爲單綫的蟠虺紋，器蓋下層及器身上層爲襯以粟米紋的龍紋，各層花紋間隔以凸弦紋。該器以巴蜀地方因素爲造型所本，以楚文化因素爲器表裝飾。現藏四川博物院。

蟠螭紋鑑

東周

四川成都市新都區馬家鄉九聯墩大墓出土。

高20.3、口徑38厘米。

直口，束頸，弧腹，淺圈足。肩腹間對置象首銜環耳。頸飾細密蟠螭紋，腹飾垂葉蟠螭紋。

現藏四川博物院。

帶蓋單耳鍪

東周

四川成都市百花潭中學10號墓出土。

高13.4、口徑8.9厘米。

這是少見的帶蓋銅鍪。蓋面微弧，中有小覆碗形圓鈕，蓋面後側有鈕套環鏈與器耳相連。器爲侈口、束頸、鼓腹、圜底，肩部有繩索紋單環耳。器身素面，蓋面以兩道凸弦紋爲界欄，其內填有昆蟲紋、雲雷紋和聯珠紋，間飾巴蜀符號。

現藏四川博物院。

四環鈕渦紋壺

東周

重慶涪陵區小田溪1號墓出土。

高49、口徑20厘米。

小口，束頸、鼓腹、圈足。蓋周及器腹均飾四環形鈕，蓋沿飾獸首形長扣。蓋面及器頸、肩部飾雲紋、勾連雷紋，腹飾四個以虎紋組成的渦紋。

現藏四川博物院。

棕提梁壺

東周

四川成都市新都區馬家鄉九聯墩大墓出土。

通高34.4、口徑10.6、腹徑24厘米。

同出五件，此爲其一。傘形矮蓋，蓋面四個對稱的環形鈕，其中一鈕繫粗棕繩與壺身上一側的鋪首相連。壺身頸不長，稍微內曲，肩部圓鼓，下有直圈足，肩部設相對的銜環鋪首，兩個鋪首的環上繫粗棕索爲提梁。該銅壺出土時完好如新，金黃光亮，連提挈的棕繩也完好保存。它對于瞭解當時這種帶銜環鋪首銅壺的提挈方式很有幫助。

現藏四川博物院。

嵌錯宴樂采桑攻戰紋壺

東周

四川成都市百花潭中學10號墓出土。

高40、口徑13.4厘米。

穹隆頂蓋，蓋沿栖三隻鴨形鈕。侈口、曲頸、溜肩、鼓腹、矮圈足，肩兩側有鋪首銜環。器表以色澤紫紅的銅嵌錯各種圖案。蓋頂走獸紋一周。器身以斜角雲紋帶分隔爲三層：上層爲采桑（左）、習射（右）兩組圖畫；中層左側爲宴樂場面，右側爲射雁及射侯之景；下層左爲攻城的陸戰右爲使船的水戰畫面。其下還有走獸紋帶和垂葉狀對獸紋。這件銅壺應該是中原三晉地區的輸入品。

現藏四川博物院。

嵌錯雲紋方壺

東周

四川新津縣出土。

高54.5、口徑11.8厘米。

方口，直頸，鼓腹，方圈足。頂形蓋，周飾四鳥形鈕，間飾雲紋。器身通飾方格雲紋。圈足內陰刻巴蜀符號。

現藏四川博物院。

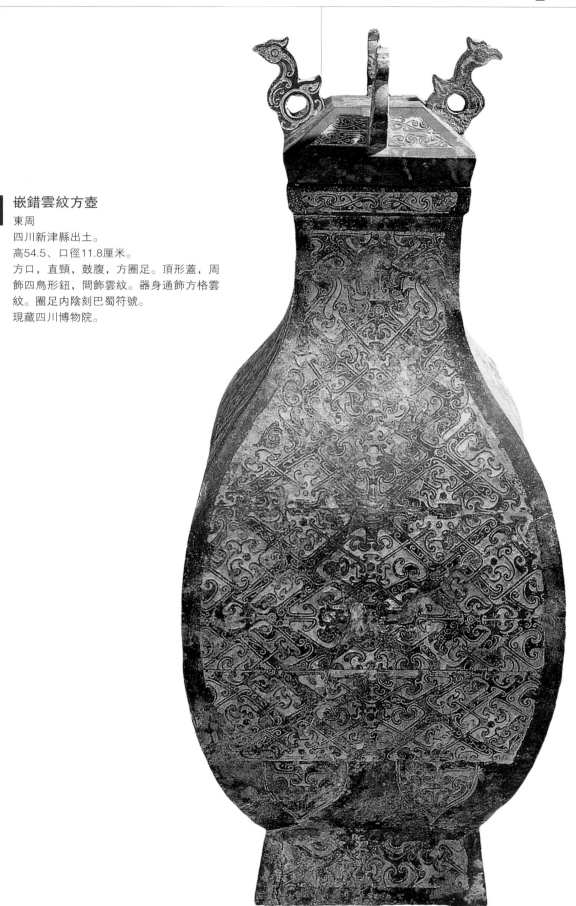

嵌錯雲氣紋壺

東周

重慶涪陵區小田溪1號墓出土。

高50.6、口徑15.3厘米。

傘形器蓋，蓋面分列抽象的鳥形鈕。壺頸微内曲，圓肩鼓腹，下有直圈足，肩部兩側有對稱的銜環鋪首。壺蓋紋飾兩周，蓋頂爲總體構圖近似旋渦紋的對捲雲紋，其外爲細密的雲水紋；壺身口沿飾交錯的勾連雲紋窄帶，其下爲以對捲雲紋爲基本構圖單元的雲水主紋，主題紋樣下的素地上有十二片心形垂葉紋，圈足上飾一道水波紋。這些花紋的綫條均爲銀錯，色彩艷麗，富于變化，令人眼花繚亂，卻也疏密有致，繁而不亂。它是東周晚期巴蜀文化銅器中受楚文化銅器影響產生的新風格。

現藏四川博物院。

蟬紋長枚甬鐘

東周

四川茂縣牟托村1號石棺墓出土。

高52厘米。

橢圓柱形長甬，下部有旋幹。合瓦形體，鐘體瘦長，雙銑下垂。正面有兩組柱狀長枚。正面鉦部飾蟬紋，鼓部和篆部飾捲雲紋，背面無紋飾。此鐘正反面的枚和裝飾都不同，且背面枚下短上長，有學者認爲它是岷江上游古族對巴蜀地區銅鐘的模仿。

現藏四川省茂縣羌族博物館。

龍紋鐘

東周

四川茂縣牟托村出土。

高26.3厘米。

鐘頂有幾何形鈕，透雕六長方形孔。鐘兩側各有六魚
尾狀脊飾。鐘體一面陰刻一翼龍，背有一山。另一面
陰刻渦紋、四瓣花紋及十字紋等。中心有一微凸橢圓
餅形飾。

現藏四川省茂縣羌族博物館。

龍紋鐘另一面

錯金編鐘

東周

重慶涪陵區小田溪1號墓出土。

最大者通高27.5、銑間寬19.5厘米，最小者通高14.6、
銑間寬6厘米。

鐘屬鈕鐘。全套共十四件，形制相同，大小遞減。鐘鈕
呈長方形，其形態隨鐘體大小遞減而變得窄長，鈕內有
獸首插銷以懸鐘。鐘體如合瓦，體態較長，略有收分，
最寬處在鉦鼓相交處。鉦部以凸綫分隔爲鉦、篆、枚諸
區，枚作半球形，鼓部較高，于部弧度較大。鐘上以金
絲錯成花紋，紋類以各種變體的幾何紋和雲水紋爲主，
頗爲華麗。

現藏四川博物院。

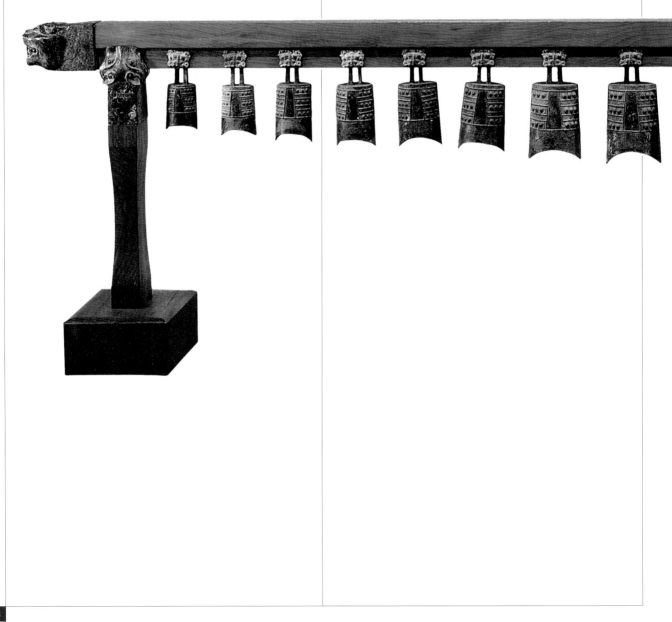

王字形巴蜀符號鉦

東周

重慶涪陵區小田溪1號墓出土。

高29厘米。

八棱形柄，衡部飾圓渦紋。鉦體瘦長，截面呈橢圓形，雙銑下垂。兩面均飾巴蜀符號，一面符號是上爲反捲雲紋形，下爲兩個“王”字形夾着一蜥蜴形。另一面的符號已銹蝕不清。

現藏四川博物院。

虎鈕錞于

東周

重慶涪陵區小田溪1號墓出土。

高47、口徑14.7厘米。

橢圓形器，平頂，沿部外侈，頂中部有猛虎形鈕，虎身飾卷雲紋，短頸寬肩，上腹略鼓。器身素面。

現藏四川博物院。

虎紋柳葉形劍

東周

四川郫縣獨柏樹出土。

長47.5、寬4.5厘米。

柳葉形劍身，凸背形劍脊，劍身逐漸收束成劍柄，扁莖無格，柄有二穿。劍身刃緣內微低，有虎皮斑紋。劍基部兩面各飾一隻頭向劍鋒的虎紋，虎尾後有巴蜀符號。

現藏四川博物院。

獸面紋柳葉形劍

東周

四川巴中市冬笋壩墓葬出土。

長22.7、寬3.5厘米。

柳葉形寬劍身，中脊呈凸棱形，扁莖無格，柄部二穿。在劍身基部兩面均鑄獸面紋，獸面似虎，嘴下有牛角形圖案。

現藏四川博物院。

東周（公元前七七一年至公元前二二一年）

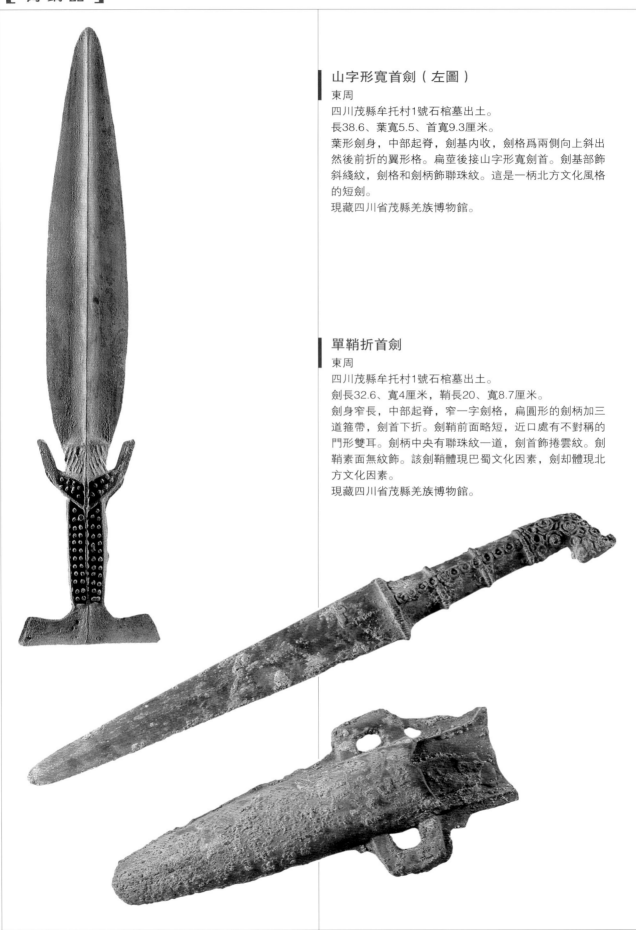

山字形寬首劍（左圖）

東周

四川茂縣牟托村1號石棺墓出土。

長38.6、葉寬5.5、首寬9.3厘米。

葉形劍身，中部起脊，劍基內收，劍格爲兩側向上斜出然後前折的翼形格。扁莖後接山字形寬劍首。劍基部飾斜綫紋，劍格和劍柄飾聯珠紋。這是一柄北方文化風格的短劍。

現藏四川省茂縣羌族博物館。

單鞘折首劍

東周

四川茂縣牟托村1號石棺墓出土。

劍長32.6、寬4厘米，鞘長20、寬8.7厘米。

劍身窄長，中部起脊，窄一字劍格，扁圓形的劍柄加三道箍帶，劍首下折。劍鞘前面略短，近口處有不對稱的門形雙耳。劍柄中央有聯珠紋一道，劍首飾捲雲紋。劍鞘素面無紋飾。該劍鞘體現巴蜀文化因素，劍却體現北方文化因素。

現藏四川省茂縣羌族博物館。

圓刃雙肩鉞

東周

四川成都市新都區馬家鄉九連墩大墓出土。

通長18.5厘米。

五件一組，形態、大小、符號相同。圓弧形刃，兩腰略收，雙肩較平，後接橢圓形短銎。鉞身後部陰刻相同的巴蜀符號。

現藏四川博物院。

柳葉形雙劍及劍鞘

東周

四川成都市中醫學院古墓出土。

劍長29.8厘米，鞘長28.5、寬13.7厘米。

劍鞘似上寬下窄的箭箙，上部有向兩側凸出的耳，正面鞘壁分爲左右二劍室，其內插一長一短兩柄柳葉形短劍。柳葉劍爲無格扁莖，柄部二穿，劍基部有共首蟬紋。劍鞘表面滿飾捲雲紋。

現藏四川博物院。

圓斑紋三角形無胡戈

東周

四川彭州市致和鄉窖藏出土。

長27厘米。

三角形援，戈體寬大，中脊凸起，欄部前弧，直內寬短。本部有一大圓穿，近欄處有二條形穿，內中部有一菱形穿。援部有多個銀白色的圓斑紋，可能是一種特殊表面處理工藝所致。

現藏四川省彭州市博物館。

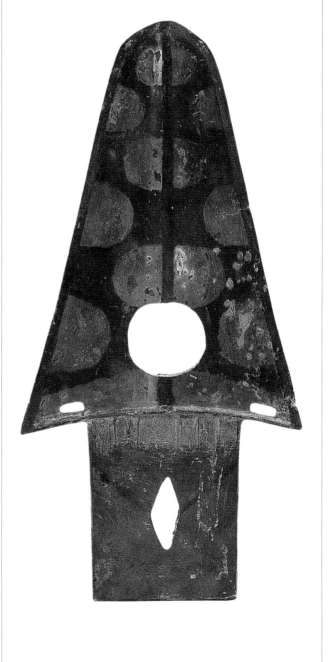

獸面紋三角形戈

東周

四川成都市新都區馬家鄉出土。

長29.2、欄寬13.1厘米。

三角形援，中部起脊，近欄處飾獸面紋，近刃處有一巴蜀符號。本部一圓穿，近欄處二條形穿。長方形內，中有菱形穿，端部山形，援部飾銀白色虎斑紋。

現藏四川博物院。

鳥紋三角形戈

東周

長19.6、寬7.6厘米。

三角形援，中部起脊，兩面均飾淺浮雕鳥紋，無胡。近欄處有二條形穿，一穿殘。長方形內，中有圓穿。

現藏重慶市博物館。

獸面紋長援戈

東周

四川成都市新都區馬家鄉出土。

長31.5、欄寬9.5厘米。

長援中部起脊，近欄處飾獸面紋，近刃處有一巴蜀符號，有一圓孔及二條形穿。長方形內，桃形穿，端部山形。

現藏四川博物院。

虎斑紋十字戈

東周

四川成都市新都區馬家鄉九連墩大墓出土。

長26.6、欄寬13.7厘米。

整體十字形。長援中部起脊，近欄處有一心形穿，胡有條形穿，胡援間飾巴蜀符號。長方形內，中飾菱形穿。戈飾虎斑紋。

現藏四川博物院。

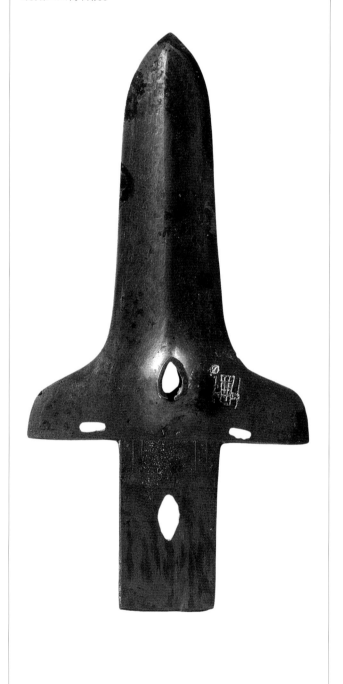

嵌錯獸面紋鏃

東周

長19.9、寬10.9厘米。

狀若雙翼箭鏃，雙翼後掠，鋒部尖銳。兩面均飾相同錯銀獸面紋，一面陰刻巴蜀符號。

現藏重慶市博物館。

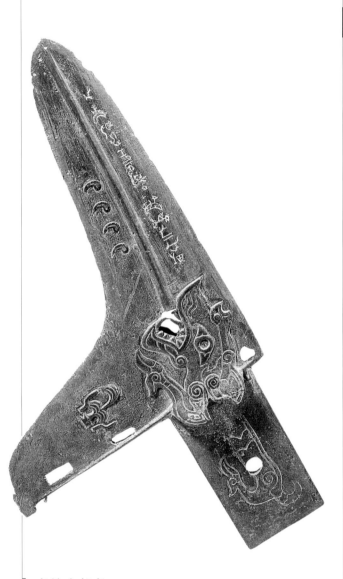

虎紋中胡戈

東周

四川郫縣獨柏樹東周墓出土。

通長25.3、援長17.8、胡長8厘米。

戈爲直援、直内、中胡三穿式。援有凸起的中脊，前部斜收成鋒，後部及内的兩面鑄有此紋。虎紋前部比例較大呈浮雕狀，後部因納柄故僅以陰綫表示。虎頭向戈鋒，張口吞脊，口中有一不甚規則的穿孔；内上虎身後部另有一圓穿。戈的胡部兩面各有一組不同的巴蜀符號。戈援上部鑄有一行銘文，與漢文字明顯不同，當是東周時期蜀國或巴蜀兩國所使用的文字。

現藏四川博物院。

蟬紋菱形矛

東周

四川彭州市致和鄉窖藏出土。

長28.3、寬8.6厘米。

菱形寬葉矛，弓形雙耳。飾淺浮雕變形蟬紋、手紋。骹處飾回紋。

現藏四川省彭州市博物館。

神像紋矛

東周

長19、葉寬3.1厘米。

柳葉形窄葉，中脊隆起與骹部連爲一體，骹後部有弓形雙耳，一耳已失。矛葉飾斜角雲雷紋，骹孔處沿飾標準雲雷紋，骹兩面飾戴冠人首鳥身神像圖案。

現藏臺灣古越閣。

牛鼠紋矛

東周

四川成都市新都區馬家鄉九連墩大墓出土。

通長21厘米。

五件一組。柳葉形窄葉，長骹從矛鋒向後逐漸變粗。骹後部兩側設弓形耳，其間一般飾虎食鼠紋，僅一件飾獸面吐舌紋和雲雷紋。

現藏四川博物院。

蛇紋寬葉矛

東周

四川彭州市致和鄉窖藏出土。

通長33厘米。

短寬葉形矛，弓形雙耳。兩面
淺浮雕四腳蛇。

現藏四川省彭州市博物館。

斧

東周

四川成都市新都區馬家鄉九連墩大墓出土。

長19、刃寬7.8厘米。

五件一組，此爲其一。寬弧刃，長身從前向後漸收，至
後部有加寬成長方形銎。素面，僅尾部有雙陽綫構成的
曲尺紋，一面陰刻該墓銅器多有的巴蜀族名符號。

現藏四川博物院。

曲頭斤

東周

四川成都市新都區馬家鄉九連墩大墓出土。

長23、銎寬4厘米。

五件一組，選二件。前端平刃向一側彎曲，長身從前向後逐漸加寬，尾部成長方形銎。通體素面，一面陰刻該墓銅器多有的巴蜀族名符號。

現藏四川博物院。

鑿

東周

四川成都市新都區馬家鄉九連墩大墓出土。

長24厘米。

五件一組，選三件。平刃，長身前段爲扁平實體，後段爲八棱形空腔，尾端有銎。素面，上部陰刻該墓銅器多有的巴蜀族名符號。

現藏四川博物院。

東周（公元前七七一年至公元前二二一年）

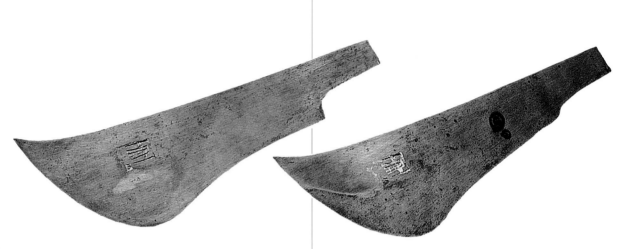

削

東周

四川成都市新都區馬家鄉九連墩大墓出土。

長24、寬6.5厘米。

出土共十五件，分大、中、小三組，每組五件，此爲最大一組中的兩件。弧刃較寬，削端上翹，前部較寬，後部稍窄，柄部窄短。通體素面，上部陰刻該墓銅器多有的巴蜀族名符號。

現藏四川博物院。

雕刀

東周

四川成都市新都區馬家鄉九連墩大墓出土。

長29、寬2.4厘米。

五件一組，選二件。三角形刀鋒，刀的前部兩側有刃，正面有中脊。後部稍寬，兩側無刃，以四道棕絲將刀後部纏繞在木柄上，外髹生漆。

現藏四川博物院。

嵌錯犀牛帶鉤

東周
四川廣元市昭化寶輪院出土。
長23.5、寬9.4厘米。
整體犀牛形，獸首形鉤端，一端與
犀鼻相連。通體嵌錯捲雲紋。
現藏重慶市博物館。

鷄

東周
四川成都市青羊小區出土。
高2.5、長8、寬2.6厘米。
雄鷄高冠鉤喙，尾羽下垂，腹部及
雙翅根部飾渦形紋，餘飾羽紋。
現藏四川省成都市文物考古工作隊。

東周（公元前七七一年至公元前二二一年）

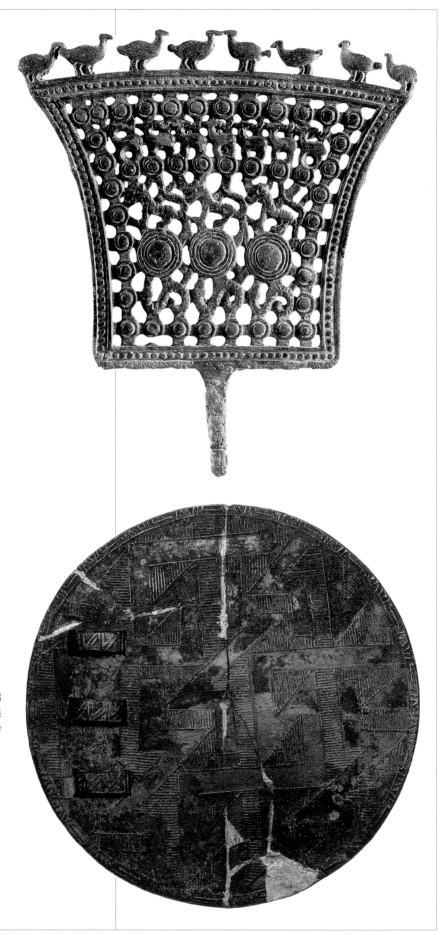

動物紋牌飾
東周
四川茂縣牟托村出土。
高13.5、寬12.7厘米。
有柄扇形牌飾，頂部飾八隻立鳥，左右相對。牌內透雕動物紋三組，自上而下依次爲鹿紋、虎紋、蛇紋，并以圓泡紋爲界欄，虎、蛇之間有三大圓泡，邊框飾乳釘紋。
現藏四川省茂縣羌族博物館。

幾何紋三鈕鏡
東周
遼寧朝陽市十二臺營子村出土。
直徑22.7厘米。
鏡體大而厚重。鏡背上方并列三個橋形鈕，背面滿飾平行短綫紋組成的幾何紋。多鈕鏡是周代東北青銅器的特徵之一。
現藏遼寧省博物館。

靴形鐓

東周

山西原平市劉莊出土。

高4.2、口徑2.5厘米。

造型如同高筒靴，靴尖微翹。器上有橢圓形口，口下兩側有相對的圓穿，其下有絢索紋箍帶，再下的靴身滿飾浮雕狀龍首紋。

現藏山西省原平市博物館。

立人柄曲刃短劍（右圖）

東周

內蒙古寧城縣南山根石棺墓出土。

長31.7厘米。

銅質優良，保存完好。全劍由劍身、劍格、劍柄三部分組成。劍身形如短莖曲刃劍，中有高凸脊，劍葉兩刃中段有劍節，後部寬大圓收。劍格呈抹角菱形，上立一對相背的裸體雙面人像爲柄。裸人爲正面立像，光頂無髮，圓目闊鼻，雙腳以劍格爲之。其一面爲雙手抱腹的男像，一面爲雙手抱乳的女像，男女外生殖器官顯著。

現藏內蒙古自治區寧城縣博物館。

無格短劍

東周

河北宣化縣小白陽39號墓出土。

長28.9、寬3.1厘米。

直刃無格扁莖劍。劍鋒近三角形，凸棱形中脊從劍鋒一直延伸至劍莖，兩側有淺槽。劍身向後斜收，折轉爲扁莖，莖的一側有環鈕。柄尾接圓臺形劍首。

現藏河北省張家口市博物館。

鏤空幾何紋柄短劍

東周

北京延慶縣玉皇廟山戎墓地257號墓出土。

長27、格寬4.4厘米。

短劍身，中脊微凸，窄窄的一字形劍格兩端凸出，扁劍柄鏤空爲方格，蘑菇形劍首也飾鏤空幾何圖案。

現藏首都博物館。

雙獸首短劍

東周

北京延慶縣玉皇廟山戎墓
地95號墓出土。

通長29.1、格寬4.3厘米。
劍身有中脊，橫剖面呈菱
形。劍格兩端微上翹。劍
柄扁平，尾端接鏤空的對
獸劍首。劍首的雙獸嘴與
前足相對，似爲熊類。

現藏首都博物館。

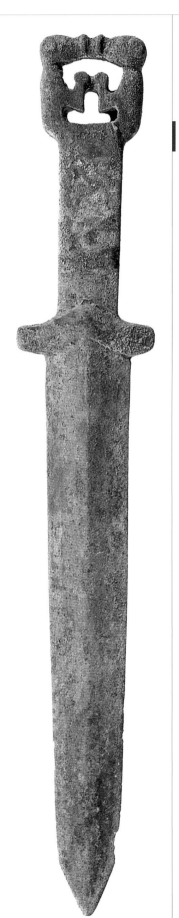

動物紋首短劍

東周

北京延慶縣玉皇廟山
戎墓地209號墓出土。

長29、格寬5.4厘米。
劍身前窄後寬，有中
脊。劍格寬厚，兩端
伸出劍身較遠，形
如“丫”字。劍柄扁
平，上有兩道縱向的
凹槽。劍首呈橢圓環
形，正面飾一牛，背
面飾蟠蛇。

現藏首都博物館。

雙獸首短劍（右圖）
東周
寧夏彭陽縣出土。
長22.9、寬3厘米。
劍身寬短，直刃有脊。劍格呈凹弧形，寬厚且兩側伸
出。劍柄爲扁長條形，中央有縱向鏤空槽。柄端劍首爲
相背的二獸首。
現藏寧夏回族自治區固原博物館。

錯金鳥帽鶴嘴斧
東周
高4.7、長20.3厘米。
形如丁字鎬。橢圓形短銎，銎頂伏着一隻立體的短尾
鳥，鳥身錯金表現羽翼等細部。前側與斧身相接，後
側與鶴嘴形啄相接。這是一件具有北方系鶴嘴斧風格
的銅器。
現藏臺灣古越閣。

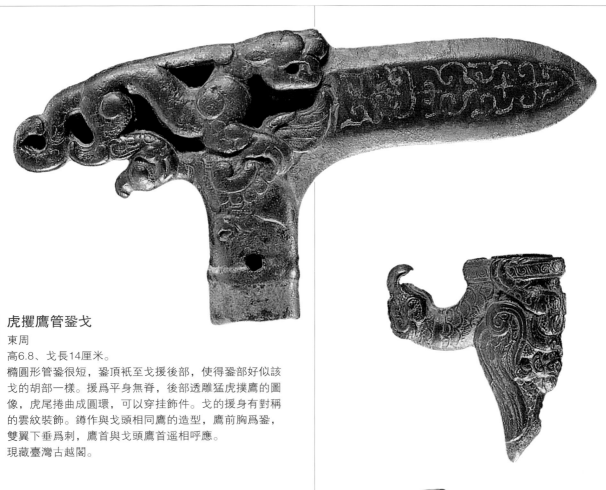

虎攫鷹管銎戈

東周

高6.8、戈長14厘米。

橢圓形管銎很短，銎頂祇至戈援後部，使得銎部好似該戈的胡部一樣。援爲平身無脊，後部透雕猛虎撲鷹的圖像，虎尾捲曲成圓環，可以穿挂飾件。戈的援身有對稱的雲紋裝飾。鐏作與戈頭相同鷹的造型，鷹前胸爲銎，雙翼下垂爲刺，鷹首與戈頭鷹首遥相呼應。

現藏臺灣古越閣。

頭盔

東周

內蒙古赤峰市美麗河出土。

高23、下寬19.5厘米。

圓頂，頂部有方形鈕，可以穿繫飾物。盔的前面做出眉弓般曲綫以便觀瞻，後面呈拱形以便脖頸活動，兩側下垂以保護雙耳。盔的下緣有加厚的寬帶，兩側各有一穿，以穿繫帶子。

現藏內蒙古自治區赤峰市博物館。

鳥形帶鈎

東周

北京延慶縣玉皇廟山戎墓地229號墓出土。

長3厘米。

作對稱飛鳥形設計，背鑄凸釘狀鈕。鳥的長頸反轉爲鈎，雙翼向後圓轉以免牽挂，尾巴如扇展開。造型與功能協調。

現藏首都博物館。

走獸形帶鈎

東周

北京延慶縣玉皇廟山戎墓地102號墓出土。

長5.1厘米。

鈎作昂首翹尾的走獸形，鈎首從獸的尾巴後面伸出前彎，鈎體與走獸間缺少關聯。背面尾端有穿鼻，前端有釘頭形鈕。

現藏首都博物館。

蟠龍紋帶鈎

東周

北京延慶縣玉皇廟山戎墓地158號墓出土。

長4.9厘米。

不對稱形鈎面由三條龍蟠曲糾結而成，背面鑄出釘頭狀鈕。該帶鈎造型的不足之處，是鈎首與蟠龍缺乏呼應。

現藏首都博物館。

馬形帶頭

東周

北京延慶縣玉皇廟山戎墓地226號墓出土。

長7.1厘米。

馬作臥姿，鬃毛和尾巴經過梳理，頸部套有絡帶。背有穿鼻兩道。

現藏首都博物館。

鳥獸紋帶鈎（右圖）

東周

寧夏西吉縣陳陽川村出土。

長7.1、寬4.6厘米。

整體作一獸二鳥蟠曲糾結之形，這些鳥獸身軀細長如龍蛇，其中最大一個鷹首前伸彎曲，鳥喙下彎爲鈎。背面中部有丁頭鈕。

現藏寧夏回族自治區固原博物館。

虎蛇帶鈎及環鏈帶

東周

陝西安塞縣謝屯村出土。

帶鈎長10.2、鏈長66厘米。

帶身由二十三個圓環和連接杆組成環鏈，環鏈一頭固定立體的虎蛇形帶鈎，虎作行走狀，兩條蛇被虎踩在足下。虎口中叼着帶鈎，鈎首鈎住環帶另一頭的圓環。

現藏陝西省延安市文物管理委員會。

虎噬馬帶頭

東周

内蒙古涼城縣窑子村出土。

長9.2厘米。

虎昂首垂尾而立，張口咬住一隻小馬的頸部，馬的身軀
從虎頭下垂。虎的前方和下方爲斜綫紋的邊框，給人以
虎站在草地上的感覺。帶頭四角各有一圓形鏤孔。表面
的鎏金已大半脱落。

現藏内蒙古博物院。

虎噬羊帶鐍

東周

内蒙古鄂爾多斯徵集。

長8.3厘米。

虎伏卧在地，回首咬住一羊。在虎的前後，還各有一個
長角羊頭。虎頸正面有凸齒，臀部後面有拱形鈕。

現藏内蒙古自治區文物考古研究所。

東周（公元前七七一年至公元前二二一年）

虎噬羊帶頭

東周

寧夏西吉縣陳陽川村出土。

長9.6、寬5厘米。

虎作垂尾站立的形態，正在張口吞噬一盤羊。虎刻劃細緻，虎的頸部以羽翅紋表示鬃毛，身軀上用陰刻的眉毛紋表示條紋。臀部背面有門形鈕。同出一式兩件，固定在革帶兩頭使用。

現藏寧夏回族自治區西吉縣文物管理所。

鎏金臥牛紋帶頭（下圖）

東周

寧夏西吉縣蘇堡出土。

長10.5、腰寬4.5厘米。

牛體肥碩，頭枕前腿而臥。牛角直竪，尾巴下垂，身體下部柔曲的陰綫表示長毛，形態與牦牛類似。腹側飾陰綫的角狀圖案，寓意不明。通體鎏金。

現藏寧夏回族自治區西吉縣文物管理所。

雙虎奪鹿帶飾

東周

內蒙古地區徵集。

長6.3、寬5.3厘米。

兩側相對的兩隻老虎，均頭上臀下，四足相向，正在爭奪中間的一隻小鹿。帶飾爲對稱靜態造型，但挣扎的小鹿帶來動態的變化。

現藏內蒙古博物院。

雙鷹形飾牌

東周

寧夏西吉縣陳陽川村出土。

長6、寬4.3厘米。

下爲中央裝飾着團身獸紋的圓牌，中爲長頸回首如雙環的鷹頭（或爲雙頭鷹），上爲如孔雀開屏似的三尾羽。飾件造型左右對稱，上下有數量變化，頗具匠心。

現藏寧夏回族自治區固原博物館。

雙蛇銜蛙帶飾

東周

遼寧凌源市三官甸村河湯溝青銅短劍墓出土。

高4、長20、寬5.7厘米。

兩件一套，此爲其一。表面磨光，範鑄而成。蛙前肢撐立，後肢屈縮，作栖息狀。兩條蛇各銜蛙收屈後肢，蛇腮肥大，頭呈三角形。蛇身相糾結形成三個橢圓，尾稍翹，蛇身截面呈半圓形。蛙背和眼均鑲嵌綠松石。蛙從嘴尖到尾有一道細縫中綫。蛙腹底一道柱狀梁，蛇腹底三半環形紐，以備穿帶。其製作精美，栩栩如生，爲青銅器的精品，充分體現東周時期北方地區青銅器冶鑄技術和文化特色。

現藏遼寧省博物館。

羊首形轅首

東周

內蒙古準格爾旗玉隆太出土。

長19.5厘米。

轅首後部爲管銎，銎兩側有圓穿。前部爲大角羊首，羊的雙角向下捲曲如環。此羊首形轅飾，造型逼真生動，是銅器精品。

現藏內蒙古博物院。

羚羊飾柱首（下圖）

東周

內蒙古準格爾旗玉隆太出土。

長17.2厘米。

一隻羚羊佇立在長方形座頂端，座子底部開敞，

原先應當是插在方柱頭上的裝飾。

現藏內蒙古博物院。

鶴頭形柱首

東周

內蒙古準格爾旗速機溝徵集。

長30.5厘米。

造型爲長喙鶴首，鶴頸彎曲，下端有圓形銎口，

可以插在柱頭或杖頭上。

現藏內蒙古博物院。

半跪武士像

東周

新疆新源縣七十一團漁場墓葬出土。

高40厘米。

武士作半跪狀。頭戴寬沿高頂帽，帽頂前
勾。上身赤裸，腰繫短裙，單腿跪地，左
手按膝，右手持物（可能是刀劍一類）。
人像造型和裝飾具有中亞色彩。
現藏新疆維吾爾自治區博物館。

泰山宮鼎

西漢

陝西西安市高窰村出土。

高35.2、口徑32厘米。

弧頂蓋罩于器的子口外，蓋周有帶乳突的三環鈕。器爲斂口、鼓腹、圜底，肩兩側有環形附耳，腹側接三隻細蹄足。素面，僅腹中部有扁凸棱一周。腹上部刻銘五行三十字，記其爲泰山宮用器及其容量、重量、年代和工匠名。

現藏陝西省西安市文物保護考古所。

昆陽乘輿鼎

西漢

陝西西安市高窰村出土。

高40.2、口徑32厘米。

扁球形體，雙環耳外撇，三蹄形高足，蓋周飾三環鈕，腹中部凸飾弦紋一周。腹壁刻銘七行三十五字，記其器名、容量、重量、製作時間、工匠、監造官員等事。

現藏陝西省西安市文物保護考古所。

陽信家鼎

西漢

陝西興平市豆馬村出土。

高19.5、口徑18.5厘米。

蓋器相合如扁球。弧頂蓋，蓋面
周列帶錐狀乳突的三環鈕。器斂
口、鼓腹、圜底，肩側雙附耳，
腹側三蹄足。蓋、器均有刻銘，
記器主、器名、容量、重量、年
月及產地等內容。

現藏陝西省茂陵博物館。

帶肩熊足鼎
西漢

河北滿城縣中山靖王劉勝墓出土。
鼎高18.1、蓋高4.7、口徑17.2厘米。
鼎爲帶蓋食鼎類。同型鼎兩件，選
一。鼎蓋如覆盤，蓋面微鼓，蓋壁折
轉，套于鼎身子口外。鼎口微斂，附
耳微外撇，鼓腹圜底，口下、腹間各
有凸棱一道。腹下以三隻小立熊代替
蹄足。蓋面周邊等距分列四獸鈕，鼎
耳無封頂，其間以軸穿過一伏獸的臀
部，使之可以上下翻轉。合蓋時，先
將伏獸上翻，蓋好後，翻下鼎耳伏
獸，再轉動鼎蓋，使鼎耳伏獸的獸頭
正好卡在鼎蓋獸鈕的頷下，鼎蓋于是
被鎖閉。結構頗爲巧妙。
現藏河北省博物館。

昌邑食官鼎
西漢

高16.7–29.5、口徑15.4–29厘米。
同出五件。扁球形體，雙附耳，三蹄足，蓋周有鳳鳥形
或環形鈕，腹中部飾箍帶及弦紋。鼎腹均有刻銘，有的
蓋上亦刻銘。一號鼎刻銘十四字"昌邑食官鼎，容五
斗，并重卌三斤，第"。
現藏北京市保利藝術博物館。

博邑家鼎

西漢

高19.7、腹徑20.5厘米。

覆鉢狀蓋，上有三環鈕，器口附
長環狀雙耳。

現藏北京大學賽克勒考古與藝術
博物館。

中山內府鋞

西漢

河北滿城縣中山靖王劉勝
墓出土。

高22.5、口徑41厘米。

敞口，束頸，微鼓腹，平
底，假圈足。腹兩側對置
鋪首銜環。口沿有銘文一
行二十三字，記其器名、
容量、重量、作器時間及
工匠名。

現藏河北省博物館。

鎏金甗

西漢

河北滿城縣中山靖王劉勝墓出土。

高48.2厘米。

由蓋、甑、釜三部分組成。蓋爲折沿、深腹、平底的覆盆。甑折沿、直肩、收腹、圈足之形，圈足罩在釜口之外。釜直口、聳肩、鼓腹、平底，腹部有腰檐。甑和釜的兩側各有銜環鋪首。在甑和釜的肩部刻有銘文“御銅金饔甗甑一具，盆備”，表明了該甗的蓋由盆來充任，可以兼作盆來使用；甑還是稱甑，但釜可稱作甗。這對瞭解漢代銅甗各部分的名稱很有用處。甗的向上的壁面（甑口沿、內壁和圈足，釜上部外壁）鎏金。釜部由上下兩段鉚合成形，可以拆開清洗釜內的水垢。全器設計周密，工藝考究，在漢代銅炊器中也是僅見的。

現藏河北省博物館。

釜

西漢

河北滿城縣中山靖王劉勝墓出土。

高14.3、口徑22.7厘米。

敞口，直壁，下腹內收，平底，假圈足。口沿對置方形
立耳，耳內側有直槽。

現藏河北省博物館。

方爐

西漢

山東淄博市臨淄區窩托村出土。

高11、長24、寬15厘米。

長方形器。曲尺形折沿，直壁分兩層，中以算相隔。上
層長邊飾長條形鏤空氣孔，下層短邊對置方形出灰口。
平底，蹄足，蓋頂四阿式，中部鏤空。蓋、腹上層上邊
兩側均飾鋪首銜環。

現藏山東省淄博市齊國故城遺址博物館。

陽信家染爐

西漢

陝西興平市豆馬村茂陵1號無名冢陪葬坑出土。

通高10.3厘米。

由爐體與耳杯兩部分組成。爐體平面呈橢圓形，立面爲直壁、平底、蹄足，周壁開三角形鏤孔，爐底有條形鏤孔，下有承盤，旁有曲折的長柄。爐口沿有四方形支角以承耳杯。爐壁、杯側均刻銘文，記其爲陽信家用器。現藏陝西省茂陵博物館。

四神染爐

西漢

山西朔州市出土。

通高12厘米。

由耳杯、爐體、承盤三部分組成，耳杯放置于爐口圍欄的支角上。爐體呈長方盒形，四壁透雕朱雀、玄武、青龍、白虎四神，下有四人形足承托，一側有長曲柄把持。爐底有承盤，盤平面橢方形。

現藏山西省平朔考古隊。

陽信家爐（右圖）

西漢

陝西興平市茂陵出土。

通高37.4、口徑23.1厘米。

爐身侈口，淺腹，平底，三蹄形高足，爐壁飾長條形鏤
孔，兩側對置環鈕，穿繫提鏈。外壁有銘文二行九字
"陽信家銅爐，容斗五升"。

現藏陝西省茂陵博物館。

弘農宮方爐

西漢

陝西西安市出土。

通高16、長47.5、寬23.75厘米。

分上下兩器，均呈盤形，折沿方體，馬蹄形四足。上器
爲爐，底作長條形算孔。爐沿有銘文四十二字，記此器
原爲甘露二年弘農宮作器，初元三年調至上林榮宮。

現藏陝西歷史博物館。

獸首竈
西漢
山西朔州市出土。

通高27.1、長34.3、寬21.8厘米。

竈身略呈三角形，面設三穴，前兩穴并置二釜，後一穴
內置甑，後部有獸首形烟道，底接四蹄足。甑蓋、腹及
竈身兩側對置鋪首銜環。

現藏山西省平朔考古隊。

龍首竈
西漢
廣西合浦縣出土。

通高18、長72、寬27厘米。

竈體上窄下寬，面設三穴，前後穴置釜，中穴置甑，
竈後端有龍首形烟道。釜折沿，束頸，鼓腹，圜底，
肩兩側飾環耳。甑斂口斜壁平底，兩側設鈕，腹內底
有箅孔。

現藏廣西壯族自治區博物館。

朱雀銜環雙聯豆

西漢

河北滿城縣中山靖王劉勝之妻竇綰墓出土。

高11.2、寬9.5厘米。

雙豆并列，其間一獸四足立於兩豆圈足上。獸背上立有一昂首展翅、翹尾銜環的朱雀。朱雀所銜之環爲玉質，朱雀毛羽以金絲錯出，頸、腹嵌綠松石四顆。豆爲深腹粗柄，盤內外金錯柿蒂紋，炳上金錯交錯的尖葉紋，紋間嵌圓形及心形的綠松石各十三顆。出土時雙豆盤內均有朱紅色殘迹，推測此豆爲放置化妝品之用。

現藏中國國家博物館。

鳥鈕鈁

秦

湖北雲夢縣睡虎地出土。

高34、口長10.8厘米。

方口，弧腹，高圈足。盝頂形蓋，四面均飾鳥形鈕。腹兩側對置鋪首銜環。

現藏湖北省雲夢縣博物館。

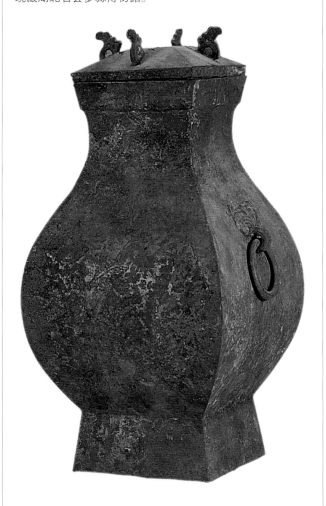

變形蟠龍紋鈁

西漢

安徽蕪湖市賀家園出土。

高47.9、口邊長14.9厘米。

方形子口，弧腹，方圈足。圈足四隅又設曲尺形小足。肩部四面均浮雕獸面形鋪首。頸飾三角紋，肩、腹、圈足均飾羽翅紋帶。頸部刻銘記其重量與容量。

現藏安徽省蕪湖市博物館。

初元三年東阿宮鈁

西漢

陝西西安市高窰村出土。

高36、口邊長11厘米。

方直口，弧壁方腹，方圈足。肩兩側對置鋪首。通體素面。口沿下刻銘三十五字，記器名、使用地點、容量、重量、制作時間和工匠等事。

現藏陝西省西安市文物保護考古所。

錯金勾連雲紋鈁

西漢

陝西西安市出土。

高61.5、口邊長16厘米。

直口，束頸，弧腹，方圈足，肩兩側對置鋪首銜環。通體飾錯金勾連雲紋。

現藏陝西省西安市文物保護考古所。

蒜頭圓壺

秦

湖北雲夢縣睡虎地9號墓出土。

高36.7、足徑12厘米。

蒜頭形口，長頸，扁球形腹，圈足。通體素面。

現藏湖北省雲夢縣博物館。

雲紋壺

秦

高24.5、口徑8.2、腹徑17.7厘米。

肩部兩側各有一鋪首銜環耳。頸部飾蕉葉紋，

肩、腹及圈足飾三角雲紋。

現藏北京大學賽克勒考古與藝術博物館。

鎏金銀雲龍紋銅壺

西漢

河北滿城縣中山靖王劉勝墓出土。

高59.5、口徑20.2厘米。

傘形壺蓋，蓋面分立三個雲形鈕，蓋壁傾斜下收，與斜侈的器頸連爲一體。壺身爲侈口曲頸，圓肩鼓腹，兩段式圈足，肩腹兩側有對稱鋪首銜環。器表滿飾鎏金鍍銀的紋飾，蓋面爲三隻鎏金夔鳳紋，蓋壁和

器口飾鎏銀捲雲紋，器頸爲金銀相間的三角紋（蕉葉紋），肩腹部爲四條鎏金的一首雙身雲龍主紋，圈足上部鎏金，下段爲鎏銀的捲雲紋。器內髹以朱漆，防止了內壁的銹蝕。在圈足壺底有銘文十八字，由銘文可知此壺原爲楚元王劉交家主膳官用以盛酒之器。壺保存奇佳，至今仍熠熠生輝。

現藏河北省博物館。

長樂宮乳釘紋壺

西漢

河北滿城縣中山靖王劉勝墓出土。

高45、口徑14.5厘米。

壺上有蓋，蓋上立三雲形鈕，蓋壁下收，與其下斜侈的器口相對應。壺身作小口微侈，圓肩鼓腹，圈足外侈之形，肩腹兩側施一對鋪首銜環。器表均以統一的斜格乳釘紋爲裝飾，其中壺蓋的斜格構圖如六角星形，壺身的斜格則由兩道鎏金銀的橫向寬帶分爲上、中、下三組。斜格由鎏金的箍帶組成，箍帶的交叉點鑲嵌銀乳釘，斜格內填嵌斜格乳釘紋的綠琉璃。壺上刻銘凡三處，它們分別是"甄氏"（蓋子口）、"甄氏，大官，五斗五升，今長樂食官"、"右口重四十斤一兩八朱六口"。由此可知，此壺原爲長樂宮中之物，以後才轉屬于劉勝。此壺工藝精湛，保存較好。

現藏河北省博物館。

金銀錯鳥篆壺

西漢

河北滿城縣中山靖王劉勝墓出土。

高40、口徑15.7厘米。

壺分甲乙兩壺，形制、紋飾、銘文大體相同，此爲乙壺。壺帶蓋，其上立三枚雲氣狀鈕，蓋面中心飾蟠龍紋，周緣爲鳥魚裝點的篆書銘文"髹趄蓋"三字。壺身形制爲侈口，短頸，鼓腹，圈足，肩上有銜環鋪首。器表以龍、虎及雲氣紋組成的箍帶分爲三段，其間飾以鳥篆銘文。銘文以四字爲句，隔句押韵，一韵到底，内容是贊譽壺中所盛酒漿的美好。銘文和花紋都以金銀嵌錯，文字故意屈曲變形，筆劃均作鳥魚之狀，雖難辨認但極富圖案意味。

現藏河北省博物館。

中山內府鍾

西漢

河北滿城縣中山靖王劉勝墓出土。

高45.3厘米。

侈口，束頸，鼓腹，圈足，肩兩側對置鋪首銜環。肩部刻銘四行"中山內府鍾一，容十斗，重（缺文），卅六年，工充國造"。

現藏河北省博物館。

建昭三年鍾

西漢

高44、口徑17.5厘米。

敞口，束頸，鼓腹，圈足。腹兩側對置鋪首銜環。通體素面。腹刻銘兩處"漕銅鍾容石，廿枚，重卅斤建昭三年、魯十六年四月受殿中"、"東宮六枚"。

現藏北京市保利藝術博物館。

上林鍾

西漢

陝西西安市高窯村出土。

高45.5、口徑18.3厘米。

敞口，束頸，鼓腹，圈足，肩兩側對置鋪首。肩部刻銘"上林"二字，腹部鑄銘"九江共"。

現藏陝西省西安文物保護考古所。

元和四年黃陽君壺

東漢

山東蒼山縣卞莊鎮柞城古城遺址出土。

高36、口徑16厘米。

盤口，束頸，圓鼓腹，八棱式圈足。肩兩側對置鋪首銜環，腹飾瓦紋。陰刻隸書銘文近四十字，記元和四年黃陽君作器事。

現藏山東蒼山縣文物管理委員會。

提梁壺

東漢

高31.5、口徑11.6厘米。

侈口，束頸，鼓腹，高圈足。蓋隆起，中央有半球形
鈕，蓋緣亦對置環鈕，穿環鏈與肩部鋪首銜環相連。頸
有雙環鈕，穿雙龍首提梁。

現藏江西省博物館。

雙龍提梁壺

東漢

山東蒼山縣卞莊鎮柞城古城遺址出土。

高33、口徑7厘米。

蒜頭形器口，圓肩，鼓腹，喇叭形圈足。肩兩側對置環
鈕，均以環鏈與雙龍首提梁相連。腹中部浮雕獸首。

現藏山東蒼山縣文物管理所。

提鏈壺

西漢

河北滿城縣中山靖王劉勝墓出土。

高30.6、口徑9.4厘米。

橄欖形壺身，直口，平底，矮圈足。蓋覆鉢形，周飾四等距環鈕，各繫短鏈。肩部飾四環鈕，各繫長鏈，均穿過短鏈末端一環，又分爲兩組，分別以大環相連，可背于身上。

現藏河北省博物館。

魚形扁壺

西漢

高31.8厘米。

魚形扁壺、口、頸爲魚頭，腹爲魚身，圈足爲魚尾。肩部對置浮雕獸首形環鈕。

現藏上海博物館。

蒜頭扁壺

秦

陝西咸陽市塔兒坡出土。

高20.5、口徑2.2厘米。

蒜頭形口，橢圓形扁腹，平底方圈
足。通體素面。

現藏陝西省咸陽市博物館。

勾連紋獸鈕扁壺

秦

山西右玉縣出土。

高27.5、口徑8厘米。

小口，直頸，橢圓形扁腹，方圈足。
蓋頂有獸形鈕，周飾勾連紋、繩紋，
肩部對置環鈕。

現藏山西省考古研究所。

中陵胡傳鎏金銀畫像尊

西漢

山西右玉縣大川村出土。

高36.7、口徑65.5厘米。

器作銅盆形狀，斜折沿，溜肩鼓腹，平底，下腹周圍以三隻蹲坐的猛虎爲器足。肩腹部有箍帶，箍帶上設銜環鋪首。器表以箍帶分爲上下兩層，上層爲奔馳的虎、鹿、羊等畫像，下層爲象、虎、熊、鹿、力士等畫像，畫像皆鎏銀妝彩，器壁則通體鎏金。口沿處刻"劇陽陰城胡傳銅酒尊，重百廿斤。河平三年造。"河平是西漢成帝的年號，河平三年即公元前26年。此尊器體雄大，紋飾粗獷，很有秦漢帝國的氣度。

現藏山西博物院。

人形足洗

西漢

高15、口徑26.5厘米。

捲沿，斜弧腹，平底，雙手叉腰人形三足。腹兩側對置鋪首銜環。腹有寬箍，上飾弦紋兩周。

現藏首都博物館。

朱雀鈕博山蓋尊
西漢

高32.6，器身外徑23厘米。

博山形蓋，蓋頂置朱雀鈕。器身兩側有鋪獸銜環對耳，
蹲虎形三足。蓋部浮雕山巒，山巒間飾龍、虎和鹿等神
獸，細雲紋襯底。器身飾細綫鱗紋和菱形紋。

現藏北京市保利藝術博物館。

鎏金錯銀雲水紋尊

東漢

甘肅武威市雷臺漢墓出土。

高14、口徑23.8厘米。

尊上有蓋，蓋爲弧頂，頂有環鈕。器身爲折沿、淺腹、平底，底有極低的圈足，腹壁下立三個矮蹄足，器壁兩側有對稱的銜環鋪首。尊的內外均飾有鎏金錯銀的瑞獸雲水紋，器外紋飾除蓋頂爲柿蒂圓形外，其餘均呈環帶狀布列。另在蓋內和器內底飾有盤龍紋和瑞獸雲水紋。現藏甘肅省博物館。

鎏金鳥獸紋尊

西漢

傳陝西西安市出土。

高20、口徑19.7厘米。

圓筒形器，腹兩側中部對置鋪首銜環，平底下接三熊形足。蓋頂中部有環鈕，周飾三鳳鳥形鈕。通體鎏金。蓋頂浮雕柿蒂紋，蓋、器陰刻鳥紋、獸紋、雲紋等圖案。

現藏中國國家博物館。

中陵胡傅温酒尊

西漢

山西右玉縣大川村出土。

高25、口徑23厘米。

共兩件，形制紋飾相同，此爲其一。器有傘狀蓋，蓋頂有環鈕，周圍蓋面有三隻鳳形鈕。器身呈平底圓筒狀，兩側有鋪首銜環，下承三隻立熊形足。器表滿飾浮雕狀圖案。蓋面以寬帶弦紋分爲內外兩周，內鑄凸起的龍、虎、熊的形象。器身設上、中、下三道箍帶，其間的壁面鑄浮雕狀追獵場面，畫面中有連綿的山巒，騎馬或徒步的獵者，逃奔的虎、熊、狼、鹿等野獸。器物口沿和蓋唇刻隸書銘文"中陵胡傅銅温酒尊，重廿四斤。河平三年造。"此尊自名温酒尊，這爲確定這類銅器的名稱提供了證據。尊的裝飾以素净的器表襯托凸起的圖案，給人以浮雕畫像的藝術效果。

現藏山西博物院。

鎏金雲紋尊

西漢

江蘇揚州市邗江區姚莊出土。

高20.2、口徑19.6厘米。

圓筒形器，隆蓋平底，底接三熊形足。蓋頂
中部有環鈕，周飾三回首銜翼鳳鳥形鈕，腹
兩側中部飾鋪首銜環。通體鎏金，腹部鏨刻
雲紋和三角紋。

現藏江蘇省揚州博物館。

神獸紋尊

西漢

甘肅平凉市出土。

高28.1、口徑23.5厘米。

圓筒形器。腹兩側對置環耳，一環佚失。平
底下接三熊形足。蓋隆起成山形，頂有圓
孔。通體浮雕仙山异獸、雲氣水波等圖案。

現藏甘肅省博物館。

建武廿一年鎏金承旋尊

東漢

通高41、口徑35.3厘米。

尊呈帶傘狀蓋的圓筒形，直口直壁平底，兩側有銜環鋪首，下有三隻作蹲坐狀的熊足。尊放在"承旋"上。承旋作平折沿、斜壁的三足淺盤形，足作蹲坐的熊形，但前足一隻上舉托盤，另一隻按在地上，與尊的熊足造型有所不同。蓋頂飾柿蒂紋，蓋面圈帶上分列獸形小鈕三，尊身亦作出竹節狀寬帶三道。承旋盤沿下有銘文。尊及承旋通體鎏金，熊形足上還鑲嵌綠松石和紅水晶。溫酒尊下托盤稱承旋，僅見于此尊的銘文。

現藏故宮博物院。

錯金雲龍紋尊

東漢

江蘇徐州市土山出土。

高7.5、口徑4.6厘米。

圓筒形器。平底下接三熊足。承盤折沿淺腹。通體飾錯金紋，器表飾雲紋、龍紋和幾何紋，承盤內外飾三角紋和雲紋。

現藏南京博物院。

金錯雲氣紋犀尊

西漢

陝西興平市豆馬村窖藏出土。

高34.4、全長57.8厘米。

犀牛作昂首佇立、直視前方之形，雙目嵌黑石，鼻角長而額角短，爲古代曾生息于中國的蘇門犀類。犀背開橢圓形口，上覆帶樞軸的素面蓋，嘴角銜管狀流。器表遍以金錯的雲水紋爲飾。此犀尊造型準確逼真，形象健壯孔武，是秦漢銅器工藝的杰作。

現藏陝西歷史博物館。

陽信家鋗鎞

西漢

高14.8厘米。

盤形蓋，上有三環鈕。器身側帶鋬把手，可安木柄。器底三小蹄足。

現藏北京大學賽克勒考古與藝術博物館。

鎏金菱形紋杯（右圖）
西漢
河北滿城縣中山靖王劉勝墓出土。
高14.5、口徑5.5厘米。
圓筒形器，口大底小，矮圈足。蓋頂隆起，中有環
鈕，周飾弦紋三周、通體飾菱形花紋。蓋、口沿、圈
足多處鎏金。
現藏河北省博物館。

鎏金菱形紋鉧
西漢
河北滿城縣中山靖王劉勝墓出土。
高6、長20.9厘米。
橢圓形器，敞口，弧腹，平底，一端附鎏金回首鳳鳥形
耳。口沿、底邊及四面中部飾鎏金寬帶，器、底飾菱形
花紋。
現藏河北省文物研究所。

繆大盉

秦

陝西咸陽市窖店出土。

高12.5、口徑8厘米。

直口，弧腹，三矮蹄足。蓋頂有橋形鈕，提梁佚失。獸首形流。蓋、腹均飾弦紋。下腹刻銘"繆大"、流右側刻銘"四斤"，器底刻銘"大官四斗"。

現藏陝西省咸陽市博物館。

虎鋬壺形盉

東漢

江蘇徐州市土山東漢磚室墓出土。

高13.8厘米。

侈口曲頸，廣肩鼓腹，圈足外侈。腹部前有管狀流，流的上端向前折轉，上栖一鳥。壺後部以一昂首捲尾的虎爲鋬，虎前足攀于壺口，後足蹬在壺的肩下。頸和腹的中部有凸起的箍狀凸弦紋。壺的體態小巧可愛，造型富于創新。

現藏南京博物院。

孫氏家鐎

西漢

山西太原市東太堡出土。

高12.7厘米。

直口，扁球形體，三熊形足。蓋中部有鈕，腹側有中空
曲折方形柄，曲頸鳳首形流。通體素面。蓋、柄均刻銘
文，柄銘"孫氏家"三字。

現藏山西博物院。

鳥流鐎

西漢

江蘇揚州市邗江區姚莊出土。

高13.2、口徑7厘米。

直口，扁球腹，三蹄足。蓋微隆，有一鈕。長方形柄中
空，鳥首形流。鳥喙可自由開合，并以鉚接鳥喙之鉚釘
爲鳥目。

現藏江蘇省揚州博物館。

方匜
秦
湖北雲夢縣睡虎地出土。
高12、長31.2厘米。
方體，平底，狹長流，鋪首銜環耳。
腹飾弦紋，餘皆素面。
現藏湖北省雲夢縣博物館。

龍首魁
西漢
廣西合浦縣望牛嶺出土。
高4.4、口徑24.2厘米。
侈口，束頸，斜腹，平底，一側有龍首形長柄。
通體飾三角形、菱形幾何紋及層叠羽紋。
現藏廣西壯族自治區博物館。

上林鑑

西漢

陝西西安市高窰村出土。

通高44、口徑63厘米。

折沿，鼓腹，雙環形附耳。器底鑄一鳥紋。腹壁刻銘三行二十九字：“上林銅鑑，容五石重百卅二斤，鴻嘉三年四月，工黄通造，八十四枚第卅二。”

現藏陝西省西安市文物保護考古所。

魚鳥紋洗

東漢

高22、口徑46.5厘米。

盤口，束頸，鼓腹，平底，腹兩側對置鋪首。內底正中鑄銘“永興元年堂狼造”，兩側陽鑄魚紋和立鳥紋。

現藏遼寧省博物館。

秦至三國（公元前二二一年至公元二六五年）

漆繪三鳳紋盆

西漢

高9.4、口徑53.4厘米。

折沿，直壁，平底，内底中部以朱漆描繪三糾結鳳鳥，周飾雲氣紋一周，内壁、沿面亦繪幾何紋。

現藏北京市保利藝術博物館。

趙姬沐盤

西漢

江蘇徐州市石橋出土。

高15.6、口徑68.5厘米。

折沿，淺腹，圜底。通體鎏金，素面無紋飾。腹外壁刻銘"趙姬沐盤"四字。

現藏江蘇省徐州市博物館。

器架

西漢

江蘇漣水縣三里墩西漢墓出土。

高38、口徑17厘米。

上部兩層爲銅圈、銅條組成的支架，兩層之間有一對銅環。下部亦兩層，底層透雕蟠虺紋，上層浮雕蟠虺紋。底部三短足。

現藏南京博物院。

甬鐘

秦

陝西西安市臨潼區秦始皇陵1號俑坑出土。

高27厘米。

甬中空，半環形旋，鉦間飾蟠螭紋。內壁有三支釘。

現藏陝西省秦始皇兵馬俑博物館。

錯金銀樂府鐘（右圖）

秦

陝西西安市臨潼區秦始皇陵出土。

高13.3厘米。

合瓦形器，方形鼻鈕。鉦、鼓飾錯金蟠螭紋，篆間飾錯金雲紋，銑、舞飾錯銀雲紋。鐘壁內側亦飾雲紋，有調音帶四條。鈕刻"樂府"二字。

現藏陝西省秦始皇兵馬俑博物館。

五銖錢紋銅鼓

西漢

廣西岑溪市出土。

高57.2、口徑90厘米。

鼓面微凹，直腹，圈足，圈足中部起棱脊一周。蓋沿浮雕六等距青蛙，腹兩側對置雙扁耳。鼓面中心飾十二芒太陽紋，周圍及鼓身皆以西漢宣、元帝時期五銖錢樣爲飾。

現藏中國國家博物館。

鬥獸紋鏡

秦

湖北雲夢縣睡虎地9號墓出土。

直徑10.4厘米。

三弦紋拱形鈕，雙重方鈕座，寬鏡緣，紋區以麻布狀勾連紋爲地，其上以鬥獸紋爲主題。鬥獸紋的兩個持劍捉盾的武士與奔虎、立豹相對稱布列于鏡的四方，頗具裝飾意味。但虎、豹分別與一個武士相對，又將二者聯繫成鬥虎和獵豹兩組圖案，别具匠心。

現藏湖北省博物館。

透雕龍紋三環鏡

西漢

江蘇漣水縣三里墩漢墓出土。

直徑29厘米。

鏡背與鏡面分鑄後套合。鏡面連帶鏡背外廓，外廓上有三環鈕，其中一環綴連兩塊橢圓形小玉璧，可以推知上面二環鈕可以繫繩懸挂，下面一鈕墜玉作爲裝飾。鏡背中心有圓鈕，橢方形鈕座，周圍鏤空的龍紋，其間點綴鎏銀凸泡，鎏銀已經脱落。此鏡雖出自漢墓，但也有學者認爲此鏡屬戰國晚期。

現藏南京博物院。

雲龍紋矩形鏡

西漢

山東淄博市窩托村南齊王墓
5號隨葬坑出土。

高115.1、寬57.7厘米。

鏡爲長方形，鏡背有柿蒂座
的鏡鈕五個，一個居中，另
四個上下成對分列。一條
蜿蜒的飛龍盤曲于鏡鈕雲氣
間，鏡緣飾以聯弧紋。銅鏡
圖案化的龍紋旁襯托與龍紋
相似的雲紋，消除了一條龍
紋的不對稱感覺。此鏡體量
巨大，形體與《西京雜記》
記載的秦咸陽宮"廣四尺高
五尺九寸"銅方鏡差不多。
它是懸挂在鏡架上的大型固
定銅鏡。

現藏山東省淄博市博物館。

彩繪車馬人物鏡
西漢
陝西西安市紅廟坡出土。
直徑27.5厘米。
鏡背中央爲拱形三弦鈕，圓鈕座，
內外區紋樣布局，兩區間以三道重
圈環帶相隔，內向十六聯弧鏡緣。
在素净的鏡背上以不同的色彩爲
地，鈕座和外區爲朱紅色，內區爲
淺青色，鈕座外、內外區間的環帶
及鏡緣爲翠綠色，環帶和聯弧邊綫
爲乳白色。內區和外區的底色上還
有畫像。內區繪對稱的四朵紅花，
花的兩側以綠色和白色繪藤蔓葉
片。外區以綠色繪等距的四乳釘，
其間以白色等彩繪製騎馬或徒步的
各種人物。此鏡幅面寬闊，色彩斑
斕，圖畫生動，綫條流暢，是彩繪
銅鏡中的精品。
現藏陝西省西安市文物保護考古所。

四乳四龍紋鏡
西漢
陝西西安市出土。
直徑17厘米。
屬星雲鏡類。連峰形鈕，圓鈕座
周圍飾乳釘紋一周。內區飾變形
龍紋四組，間飾四組乳釘紋。外
緣飾連弧紋一周。
現藏陝西歷史博物館。

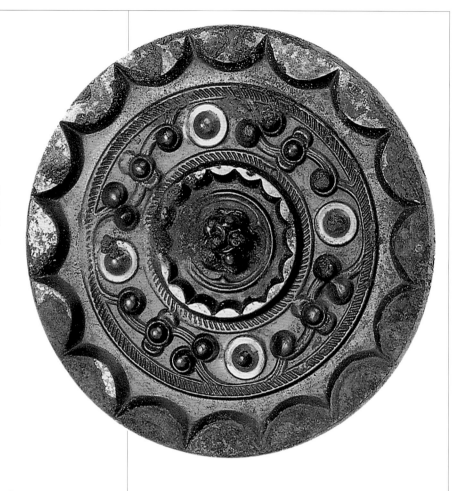

四乳四龍紋鏡

西漢

陝西西安市漢陵陪葬墓出土。

直徑13.2厘米。

屬星雲鏡類。連峰形鈕，圓形鈕座周邊飾聯弧紋。內區等距離布列四個大乳釘紋，其間飾抽象的螭龍紋，螭龍的眼睛和關節飾以小乳釘。外緣飾聯弧紋。

現藏陝西省考古研究院。

大樂富貴四葉蟠螭紋鏡

西漢

湖南長沙市燕子嘴17號墓出土。

直徑14.3厘米。

拱形三旋鈕，單紋區，寬平鏡緣。鈕有雙龍鈕座，座外有“大樂貴富千秋萬歲宜酒食”篆體銘文一周。從銘文環帶伸出四個花蒂將主紋區等分為四區，每區一組勾捲糾結、綫條柔曼的蟠螭紋。

現藏湖南省博物館。

光耀七乳四神鏡
西漢

陝西西安市出土。

直徑25.4厘米。

半球形圓鈕，鈕外圈帶。內區飾九乳釘紋，乳釘間有陽
綫雲氣紋。其外爲雙芒紋夾繞的素帶以區分內外區。外
區以帶花環的七乳釘紋爲基調，其間飾流暢細陽綫的四
神、羽人、禽獸等形象。外緣有銘文七十四字，主要內
容是誇耀鏡之美好，以及使用鏡之人可以得到的好處。

現藏陝西省西安市文物保護考古所。

秦至三國（公元前二二一年至公元二六五年）

透光日光鏡

西漢

直徑7.4厘米。

鏡屬連弧紋類。中爲半球鈕，圓鈕座，寬平鏡緣。内區爲大聯弧紋，外區鑄"見日之光，天下大明"的銘文。此鏡在强光的照射下可反射出與鏡背紋飾相應的紋樣投影，故又稱爲"透光鏡"。

現藏上海博物館。

加字昭明鏡

西漢

陝西西安市漢陵陪葬墓出土。

直徑12.8厘米。

半球形圓鈕，圓環形鈕座，寬平鏡緣。内區飾圓環紋和八聯弧紋，其間以鈕座伸出的四中三直綫貫穿内區，四組雙弧綫聯繫鈕座與圓環。外區以芒綫紋爲邊欄，其間有銘文二十一字"内清質以昭而明，光而象夫日月，心而忽而忠而不泄"。

現藏陝西省考古研究院。

貴富星雲鏡
西漢

山西右玉縣大川村出土。

直徑18厘米。

半球形圓鈕，十二聯珠紋鈕座。内區和鏡緣均飾十六内連弧紋，外區以四個帶八聯珠紋座的乳釘爲分割，其間各飾一圖案化的銘文，連讀爲“家常貴富”。

現藏山西右玉縣博物館。

四乳龍虎人物鏡
西漢

安徽廬江縣裴崗鄉漢墓出土。

直徑16.9厘米。

半球形圓鈕，鈕外雙圓環鈕座，外環加聯點紋。内區以四乳釘爲分界，其間飾淺浮雕狀畫像四幅：上下各爲一坐一跪二人，當爲東王公和西王母，左右分別爲龍和虎。外區由銘文帶和三周幾何紋帶組成，後者自内向外分別爲芒綫紋、鋸齒紋和波浪紋。這是目前所知最早的畫像鏡之一。

現藏安徽省巢湖市文物管理所。

鎏金中國大寧規矩紋鏡

西漢

湖南長沙市出土。

直徑18.6厘米。

鏡背中心爲半球形鈕，柿蒂紋鈕座，平窄鏡緣。紋飾較爲複雜。鈕座外爲方框，框外主紋區以“規矩”爲主體，其間飾以陽綫的羽人、神獸、雲氣等花紋，銘文篆書，隔句押韵，文句爲“聖人之作鏡兮，取氣于五行。生于道康兮，咸有六章。光象日月，其質清剛。以視玉容兮，辟去不祥。中國大寧兮。子孫益昌。黃裳元吉有紀綱”。

現藏中國國家博物館。

神獸四乳規矩紋鏡

新莽

直徑16.1厘米。

半球形圓鈕，鈕座周飾七個乳釘
紋，其間有圖案化的 "宜"、
"子"、"孫" 三字及捲草紋四
個。內區飾省略四 "規"、僅有
四 "矩" 和四 "維" 的簡化規矩
紋，四維處各有乳釘紋一個，其
間飾陽綫的怪獸、神禽、羽人等
圖案。外區從內至外分別爲芒綫
紋、鋸齒紋、銘文帶和捲雲紋，
銘文共五十二字 "唯始建國二年
新家尊，詔書□下大多恩，賈人
事市□財嗇田，更作辟雍治校
官，五穀成熟天下安，有知之士
得蒙恩。宜官秩，保子孫。" 頌
揚新莽政績。

現藏中國國家博物館。

丹陽八乳規矩紋鏡

東漢

安徽壽縣牛尾崗出土。

直徑16.3厘米。

半球圓鈕，外有方框鈕座，框內
列十二乳釘，乳釘間有十二地支
陽文篆銘。方框四邊各伸出一
"矩" 與鏡緣的 "規" 相對，矩
兩側各有一乳釘。鏡的內區以
"規矩" 和方框四角劃分爲八個
紋段，每段有一陽綫的神獸。外
區紋帶由內至外分別是銘文帶、
芒綫紋、鋸齒紋夾波綫紋組成，
銘文四十八字爲 "漢有善銅出丹
陽，和以銀錫清且明。左龍右虎
主四彭，朱雀玄武順陰陽。八子
九孫治中央，安母目劍起羨陽，
家且大富宜侯。" 從韵讀和文辭
來看，"侯" 字後還缺一 "王"
字。

現藏安徽省博物館。

描金四靈規矩紋鏡

東漢

直徑16.4厘米。

半球形圓鈕，柿蒂形鈕座，鈕座保存有朱紅色。座外爲雙層方框，方框四邊各伸出一"矩"與鏡緣的"規"相對，方框四角則與鏡緣伸出的維角相對，兩角間有一乳釘紋。框外規矩間飾以行雲流水般綫條勾勒的四神圖案。寬鏡緣內側飾鋸齒紋，緣面飾雲氣紋。紋飾多以金綫描繪，精細美觀。

現藏日本私人處。

王氏四獸紋鏡

東漢

江蘇揚州市出土。

直徑18.3厘米。

圓鈕，連珠紋鈕座。主體紋飾以四乳釘紋分爲四區，分飾象、虎、鹿及獨角獸紋。外圈有銘二十二字。鏡緣飾鋸齒紋和雲紋。

現藏江蘇省揚州博物館。

仙人騎馬神獸鏡

東漢

浙江紹興縣趙建村出土。

直徑18.5厘米。

圓鈕，方框形鈕座。四乳釘紋將紋飾分爲四組，飾仙人騎馬及龍、虎、神獸等紋飾。邊緣飾雲紋。

現藏浙江省紹興博物館。

建安十年重列神獸鏡

東漢

安徽和縣戚橋鄉晋墓出土。

直徑13.3厘米。

大半球形圓鈕，鈕之上下各有一榜題"君宜官"。紋區自上而下分五層重列高浮雕狀的神人和神獸，最上層爲坐在帶翼怪獸座上的神，其下三層共十人或神，最下及兩側有龍、虎、怪獸和雲氣。鏡緣有銘文四十九字："吾作明竟，幽涷宮商，周羅容象，五帝三皇。白牙彈琴，黃帝除凶，朱鳥玄武，白虎青龍。君宜高官子孫昌。建安十年作。大吉羊，示□□。"

現藏安徽省巢湖市文物管理所。

八子神獸畫像鏡

東漢

直徑16.7厘米。

半球形鈕。内區圖案以平行條帶分爲上下三層（上下層圖案對置）：上層中有龜座神樹，兩端各有神人；中層被鏡鈕隔爲二區，每區各飾一神獸；下層爲帷幕如帶，兩神人相對而坐。外區紋飾以芒紋分爲内外兩圈：内圈等距布列十個長方枚，其間飾以禽獸圖案，每個方枚鑄二字，連續成爲“八子明鏡，幽涑三岡。巧工刻之□文，上有□□吉昌”的文句；外圈爲纏枝紋。

現藏上海博物館。

蔡氏車馬神獸畫像鏡

東漢

河南洛陽市邙山漢墓出土。

直徑19.2厘米。

半球形圓鈕，聯珠紋圓鈕座。内區以四乳釘紋將紋飾分爲四組：上下分別爲頭向鏡鈕的一主兩從的畫像，旁有“王公”、“王母”的榜題；左右兩側分別爲并行龍虎和翼馬軒車的畫像。畫像區外分別有銘文、芒綫、鋸齒、雲氣紋帶。銘文爲“蔡氏作竟佳且好，明而月，世少有，刻冶今守悉皆在，令人富貴宜孫子，壽而金石不知老兮，樂無極。”

現藏河南省洛陽市文物工作隊。

四乳神人車馬畫像鏡

東漢

浙江紹興市出土。

直徑23厘米。

半球形圓鈕，連珠紋圓鈕座。帶聯珠紋座的四枚乳釘紋將紋飾分爲四區，對列四組畫像，上下兩組都是一神端坐，左右兩側爲六馬駕緇車飛奔。其外飾芒綫和捲雲紋各一周。鏡緣較寬。

現藏浙江省博物館。

秦至三國（公元前二二一年至公元二六五年）

柏氏伍子胥畫像鏡

東漢

直徑20.7厘米。

半球形圓鈕，圓鈕座周圍飾聯珠紋。主紋區爲淺浮雕的人物畫像，人物均頭朝鏡鈕作向心布局，四枚帶連珠座的乳釘紋將紋飾分爲四組：吳王夫差端坐于座屏內，右有"吳王"二字；吳王左側爲伍子胥仗劍自刎，劍鋒上有"忠臣伍子胥"五字；吳王右側有兩女并列，有"王女兩人"四字；與吳王相對的是越王和范蠡，旁有"越王"及"范蠡"的字樣。畫像區外，從內到外依次爲銘文、芒綫、鋸齒、波帶、鋸齒紋帶，銘文爲"吳向里柏氏作竟四夷服，多賀國家人民，胡虜殄滅天下復，風雨時節五穀熟，長保二親得天力，傳告後世樂無極兮。"

現藏上海博物館。

永康元年神獸鏡

東漢

直徑16.3厘米。

半球形圓鈕。內區紋樣上爲西王母，下爲東王公，左爲古帝王及侍從，右爲古聖賢撫琴。外區以十二個大半圓形的橡頭爲基幹，其間布列十二個方形的印章，每印四字，共有銘文四十八字。外區與鏡緣間以鋸齒紋帶分隔，鏡緣內圈飾日神和月神，并有六龍馭雲車、六羽人騎獸的紋樣；外圍飾連續菱格紋。此鏡銘文開頭四字爲"永康元年"，即167年，其年代明確，製作考究，爲這類銅鏡的標準樣式。

現藏上海博物館。

呂氏神獸畫像鏡

東漢

直徑22.05厘米。

半球形圓鈕，連珠紋鈕座。主體
紋飾以四乳釘紋分爲四區，分飾
撫琴聖賢、仙人及龍虎圖像。外
圈鑄銘文一周七十字。鏡緣飾人
物鳥獸圖像。

現藏故宮博物院。

熹平三年變形四葉紋鏡

東漢

直徑17.8厘米。

半球形圓鈕，四葉如飛出的蝙
蝠直抵內區外緣。內區的四葉
內和四葉間各飾一獸首，後者
似獅，周圍繞以火焰。外刻銘
文一周。外區飾聯弧紋和菱格
紋各一圈。銘文爲“熹平三年
正月丙午，吾造作尚方明竟，
廣漢西蜀，合湅白黃，周刻無
極，世得光明，買人大富，
長子孫，延年益壽，樂未央
兮”，可知此鏡是公元174年鑄
于西蜀廣漢。這是一面鑄造年
代和地點都很明確的銅鏡。

現藏重慶市博物館。

秦至三國（公元前二二一年至公元二六五年）

變形四葉四龍紋鏡

東漢

湖南長沙市蓉園漢墓出土。

直徑15厘米。

半球形圓鈕，單一紋區，寬平鏡緣。鈕座對稱伸出長矛形四葉，將主紋區分爲四區，每區內飾一龍紋。龍紋呈相從的順時針旋轉排列，雲氣紋襯底，主次分明。

現藏湖南省博物館。

仙人神獸畫像鏡

三國·魏

河南洛陽市晋墓出土。

直徑15厘米。

半球形圓鈕，捲草紋鈕座。主紋區分爲三層，上爲伯牙彈琴，中間兩側爲東王公和西王母，下爲黄帝，仙人兩旁均有神獸夾侍。主紋區外飾方枚與半圓枚各十四枚，方枚如印章，每個有四字。其外隔鋸齒紋爲神人禽獸紋帶。最外的平鏡緣上飾菱格紋。

現藏中國國家博物館。

碩人重列神獸畫像鏡

三國·吳

湖北武漢市徵集。

直徑14.8厘米。

畫像鏡類。半球形圓鈕。主紋區
用橫綫分爲五層，每層又飾五排
橫列神仙、聖賢、神獸的圖像。
鏡緣外飾連鎖紋帶，内爲銘文
帶。銘文八十八字，録《詩經·
衛風·碩人》詩句而有删節。
現藏湖北省武漢市文物商店。

長宜子孫連弧紋鏡

東漢

直徑13.75厘米。

半球圓鈕，大柿蒂紋鈕座。鈕座
的柿蒂紋碩大，四個蒂尖將紋區
分爲四段，每段兩個内聯弧與一
個柿蒂相對，柿蒂紋與聯弧紋間
爲旋讀的"長宜子孫"四個篆字
銘文，每個字兩側各有三個小乳
釘紋。鏡有平寬的外緣。此鏡紋
樣簡潔，類似構圖的銅鏡在湖
南常德市晉元康四年（公元294
年）墓中曾有出土，當爲東漢晚
期至西晉的銅鏡樣式。
現藏浙江省博物館。

鎏金豹形鎮

西漢

河北滿城縣中山靖王劉勝墓出土。

高3.5、寬5.9厘米。

一對兩件。豹作伏臥狀，身體蜷曲，頭部微偏，整體造型控制在半球形狀内。豹身鎏金，在金地上以銀錯出豹紋斑點，頭、足、尾部的小斑點則以點鏨鏨成。豹的口部塗朱，雙眼鑲嵌紅瑪瑙。豹的體内灌鉛，使鎮體小質重，更加實用。此鎮的整體形態雖稍嫌寫實，凹凸對比較爲明顯，但豹的造型逼真，裝飾在已知銅鎮中也最爲華麗。

現藏河北省博物館。

嵌貝龜形鎮

西漢

山西朔州市出土。

高6.3、長13.9厘米。

兩件成對，大小、形態相同。龜的造型作尖嘴昂首，四足内縮，平底空腹，其上嵌虎斑貝殻。銅質沉重，貝殻光滑，二者結合起來作爲鎮壓座席的器具，非常恰當。

現藏山西省平朔考古隊。

鎏金熊形鎮

東漢

安徽合肥市建華窰廠工地出土。

高5.1、寬4厘米。

兩件成對，造型相似，都是抬頭蹲坐，長嘴圓耳，前肢抬起，後肢蹲曲的張口撲咬的姿態。熊體鎏金已部分剝落。

現藏中國國家博物館。

鳥柄豆形燈

西漢

山東臨淄市出土。

高13.2、盤徑16.6厘米。

燈的主體好似矮柄豆，上爲圓形侈口淺盤，盤中出錐形火主；中爲亞腰形粗柄，柄中部偏下有折棱一道；下爲圓餅形圈足。燈盤一側伸出上翹的曲枝，枝端栖息一鳥，鳥喙銜着盤沿，鳥尾向上翹起，枝和鳥共同形成燈的握柄。生動的小鳥附飾給幾何形主體帶來了幾分生氣。

現藏山東省淄博市博物館。

牛形燈

西漢

湖南長沙市北門出土。

高50、長40厘米。

牛形燈。牛角從背上兩側呈圓筒狀竪起，并于頂部合，折向下，擴大成覆鉢形，內中空，與空腹相通，以爲烟道。背中部開口，置長柄圓形燈盤，盤心有燭釬。右側刻銘十字"勑廟牛燈曰，禮樂長監治"。

現藏湖南省博物館。

人形足高柄燈

西漢

高27.2、燈盤直徑17.3厘米。

燈盤圓形，分爲內、外兩圈，內圈爲燭燈盤，盤中有插燭燭釬。外圈爲油燈盤，外壁有一龍首形小流嘴，龍口中空，應是放置燈捻之孔。燈柄與燈盤、燈座一體鑄成，柱形中空。燈座爲盤形，座底有三個人形足。

現藏北京市保利藝術博物館。

鎏金朱雀燈托

西漢

安徽巢湖市放王崗漢墓出土。

高15.5厘米。

該燈的燈盤已失，祇餘朱雀形的燈座。朱雀作展翅欲飛之形，頸後出一圓環爲燈托。由于鳥的雙翅展開，鳥足下又僅有很小的底座，給人以頭重脚輕的感覺。頗疑下面還另有一底座。

現藏安徽省巢湖市文物管理所。

鳳鳥燈

西漢

河北滿城縣中山靖王劉勝之妻竇綰墓出土。

高30、燈盤直徑19厘米。

分鑄的圓環形燈盤、鳳鳥形燈柱和蟠龍形燈座三部分鑄接在一起組成。燈盤如凹槽，內分三段，每段一火主。一昂首翹尾、展翅欲飛的鳳鳥口銜燈盤，站立于作爲燈座的蟠龍之上。蟠龍頭部昂起，上望燈盤。此燈鑄型注重整體的動態而不事細部雕啄，鳳鳥的羽毛在在燈鑄成後用陰刻細綫表示，造型簡練，繁簡有致。

現藏中國國家博物館。

秦至三國（公元前二二一年至公元二六五年）

長信宮鎏金宮女釭燈

西漢

河北滿城縣中山靖王劉勝之妻竇綰墓出土。

高48厘米。

燈作跽坐持燈的宮女之形，由頭部、身軀、右臂、燈座（分握柄、圈足兩部分）、燈盤、燈罩（由兩塊大半圓的屏板組成）幾部分分鑄組合而成。宮女梳髻覆幗，深衣跣足，頭部微俯，挺身跪坐，左臂右曲支托燈座，右臂上舉扶持燈罩。燈罩可轉動開合以調節受光方向及受光面的大小，覆蓋在燈罩上的宮女長袖恰起烟管作用，可將油烟導入中空的宮女身體貯存以保持室內清潔。此燈刻銘文多達計九處六十五字，其中燈的上部燈座底部周邊爲“長信尚浴，容一升少半斗，重六斤。百八拾九。今內者臥”，其它銘文器主均爲“陽信家”。此燈應先屬皇太后長信宮尚浴府，後歸陽信長公主家，最後才轉屬中山王后所有。

現藏中國國家博物館。

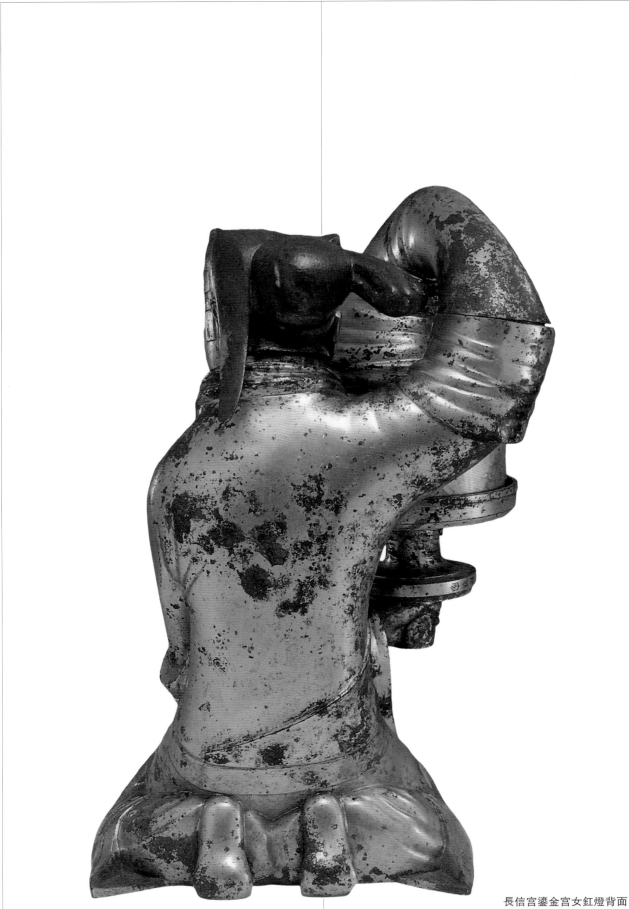

長信宮鎏金宮女釭燈背面

當户燈

西漢

河北滿城縣中山靖王劉勝墓出土。

高12、盤徑8.5厘米。

一銅人半跪，右膝着地，左手撫于左膝，右手上舉支托燈盤。燈盤直壁平底，中有燭釬，與銅人以銅釘相鉚合。銅人身着胡服，脚着長靴，衣後部束成長尾拖曳于地。盤壁刻銘"御當户錠一，第然于"。

現藏河北省博物館。

卧羊燈

西漢

河北滿城縣中山靖王劉勝墓出土。

高18.6、長23厘米。

卧羊造型，羊體肥碩，捲角短尾，形態逼真。羊體中空用以貯油，出土時其内還有油脂殘渣。羊背與主體分鑄，二者間在羊頸部以樞鈕相連接。羊背下扣時，它是羊尊的器蓋；當手捉羊背提鈕將其翻起，平放于羊頭之上時，它又成爲羊燈的燈盤。燈盤形如小匜，剩餘燈油可從流嘴傾倒入器腹。其造型生動，設計巧妙，是漢代同類燈中的佳作。

現藏中國國家博物館。

錡形釭燈

西漢

河北滿城縣中山靖王劉勝墓出土。

高32厘米。

由錡部、燈盤、燈罩、烟道四部分組成。燈下部爲三足小口釜形，當時稱之爲"錡"，錡的肩部有上翹的圓管與聯通燈罩的圓管套接。錡口放一單柄燈盤，燈盤直壁內插圓形倉房式的燈罩，燈罩壁由兩塊組成，可自由轉動以調節燈光的方向。圓形罩頂有烟道向下彎曲與錡部烟道相連。現藏河北省博物館。

雁形釭燈

西漢

廣西合浦縣望牛嶺木椁墓出土。

高33、長42厘米。

兩件成對，形狀大小全同，此爲其一。雁鵝的外形作回首站立狀，長尾下垂及地，與站立的鳥足組成三個支點，既增强了造型的美觀，又保證了器身的穩定。器表通體細刻羽毛，至爲美觀。雁鵝內部成空腔，頸部套接，背部開圓孔，孔內放一單柄燈盤，中有支持燈燭的火主。燈盤的大小與其上雁鵝嘴內所銜燈罩大致相當，膏炷燃燒的烟灰可全被納入喇叭狀燈罩。結構巧妙，造型優雅。現藏廣西壯族自治區博物館。

雁魚釭燈

西漢

山西朔州市出土。

高53厘米。

由雁首、雁體、燈盤、燈罩四部分套合而成。造型作回首立雁形，雁頸瘦長，雙翅合攏，尾部很短，雙腿較高，掌部扁平。雁首口銜一魚爲燈罩頂，燈罩爲圓形，插在燈盤內，可轉動調節燈光方向。燈燭的烟塵通過雁的頭、頸進入身內，沉積于腹腔積水之中，從而保持室內清潔。設計頗爲巧妙。

現藏山西省平朔考古隊。

雁足燈（下圖）

西漢

山東淄博市臨淄區出土。

高35、盤徑21厘米。

圓形雙層燈盤，內有三錐形火主，盤下一側以雁足形燈柱支撑。雁足下承以方座，座側刻銘四字。

現藏山東省淄博市齊國故城遺址博物館。

銀錯牛形釭燈

東漢

江蘇揚州市邗江區甘泉廣陵王劉荆墓出土。

高46、長36.4厘米。

座爲身長腿短、俯首揚尾的牛形，牛背負燈座，座上承帶短柄的燈盤，盤上有圓屋形的燈罩。屋壁辟門爲散光口，周壁開菱形格子窗，門的位置可以旋轉移動以調整光綫方向。屋頂爲穹隆形，頂的中央有與牛首相連的虹形管，可以將油烟導入中空的牛腹。燈表面飾以流暢的銀錯雲氣神獸紋。此燈形態美觀，重心穩定，結構合理，爲牛形銅釭燈的代表作。

現藏南京博物院。

雁足燈

東漢

江蘇徐州市出土。

高26.3、盤徑13.6厘米。

上爲雙層燈盤，中爲圓柱形燈柱，下爲折沿大盤。燈柱上端出三枝托起燈盤，下端作雁足與盤相連。造型混合豆形燈、多枝燈和雁足燈的因素。

現藏南京博物院。

羽人座高柄燈

東漢

廣西梧州市出土。

高30.5厘米。

由燈盤、燈柄、燈座三部分榫接而成。燈盤一側設柄，下有三柱足。燈座爲一長須羽人撫膝坐于錐形座上，座周飾三組人騎异獸紋。羽人頭頂一龍首銜柱爲柄，插入燈盤底部中央套管。

現藏廣西壯族自治區梧州市博物館。

鏤空雲氣仙人多枝燈

東漢

甘肅武威市雷臺漢墓出土。

高146厘米。

由座、幹、枝、蓋四部分組成。座呈覆
碗形，上插筆直的樹幹。幹等分爲三
層，每層出十字形樹枝四條，紙條末端
托一小燈盤。樹幹末端有一大圓環，環
上有騎鹿仙人，人的雙手托一燈盤，盤
的外緣有桃形火焰。每層樹幹均有一小
圓環加鏤空捲草紋飾片，每枝上也裝飾
着鏤空捲草紋以象徵樹葉。這是目前發
現的最完好和最高大的漢代多枝燈。

現藏甘肅省博物館。

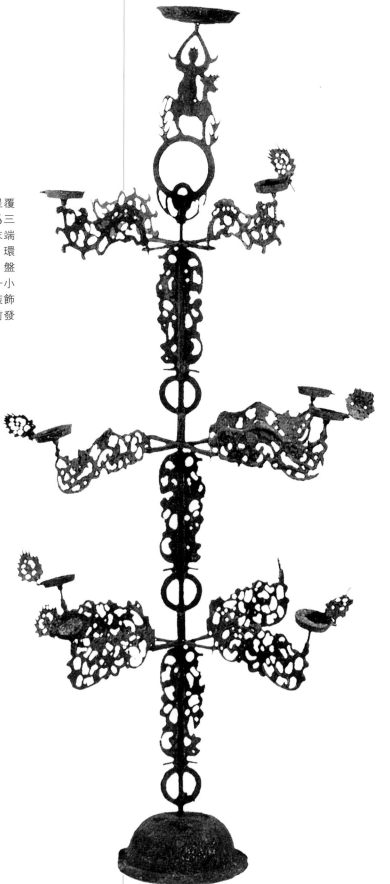

十枝燈

西漢

廣西貴港市羅泊灣1號木槨墓出土。

高85、底徑20厘米。

燈作樹形，樹幹、枝、葉形燈盤和頂端的鳥形燈盤都分別鑄造，然後用卯榫套接在一起。燈座似圓形覆盤，座上樹幹下粗上細，下部呈聳肩瓶形。樹幹伸出三層樹枝，每層三枝，樹枝方向層層交錯。每枝前端托一闊葉形（桃形）燈盤，盤中有火主。樹頂爲一伸展雙翅的鳥形燈盤。此燈製作精好，造型簡潔，拼合穩定，是多枝燈的佳作。此樹形燈有十枝（包括樹尖），樹頂栖鳥，燈盤中的火燭點燃以後，正與《山海經·海外東經》"九日居下枝，一日居上枝"的扶桑相合。它應當是按照遠古神話中太陽神話而製作。

現藏廣西壯族自治區博物館。

人形吊燈

東漢

湖南長沙市徵集。

高29、長28厘米。

一個圓形弧頂蓋頂立一鳳鳥，鳥身上有一環套着一條環鏈，蓋下有三環套着三條環鏈，環鏈下端扣在一裸人的雙肩和臀部的環鈕上。裸人體內中空，背中部有蓋，可以儲藏燈油。人的造型爲頭扎髮髻，腰束寬帶，雙手捧燈盤。燈盤爲直壁平底的圓盤，盤心有火主，盤有方形小口與裸人的空腔相通。這是一件罕見的銅吊燈，給人以托燈者在雲中飄蕩的感覺。

現藏湖南省博物館。

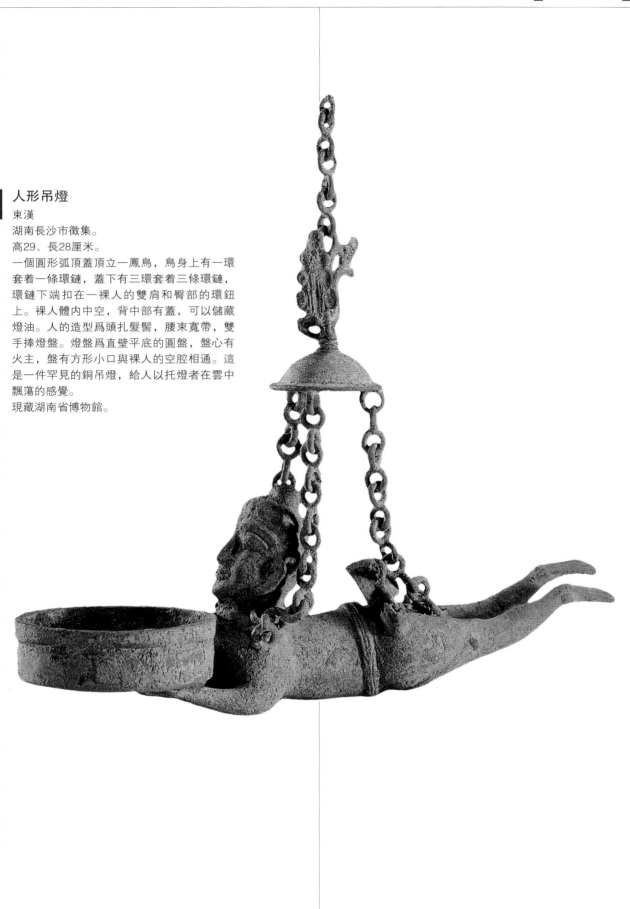

秦至三國（公元前二二一年至公元二六五年）

鎏金薰爐

西漢

山東淄博市臨淄區出土。

高14.4、口徑9.3厘米。

豆形薰爐。鏤空薰蓋罩于器口上，隆起的蓋頂中央有一環形鈕，周圍爲透雕的首尾相銜的雙龍。斂口鼓腹，腹兩側有銜環鋪首，豆柄中部鼓起，柄狀圈足。通體鎏金，足部內側刻銘兩字。

現藏山東省淄博市博物館。

鎏金豆形薰爐

西漢

江蘇銅山縣小龜山崖墓出土。

高22.3、口徑14.2厘米。

由薰蓋、承盤、支架、薰柄四部分組成。蓋如環底的覆盤，蓋頂有鈕套環，三條鏤空的虎紋組成蓋面，香烟可透過鏤孔升騰飄散。承盤斂口深腹，兩側各施一銜環鋪首，形如戰國時期蓋豆的豆盤。其下托以鳥首形的支架，支架固定于上部鼓出的薰柄之上。通體鎏金，蓋沿、盤沿、盤腹、柄柱和柄座分別飾以雙綫的勾連雷紋、雲水紋和三角雲紋。此薰以優雅別致的造型、流暢多變的花紋、精細多樣的工藝，成爲豆形銅薰的杰作。

現藏南京博物院。

鎏金豆形熏爐

西漢

陝西興平市豆馬村茂陵1號無名冢從葬坑出土。

高7、口徑4厘米。

造型如一件帶鏤空蓋的豆放置在盤子中。穹頂蓋有鈕，蓋面有鏤空的菱格。燈盤斂口、鼓腹、圈底，圓柱形柄中部有凸節，圈足與折沿平底承盤相連。通體鎏金。

現藏陝西省茂陵博物館。

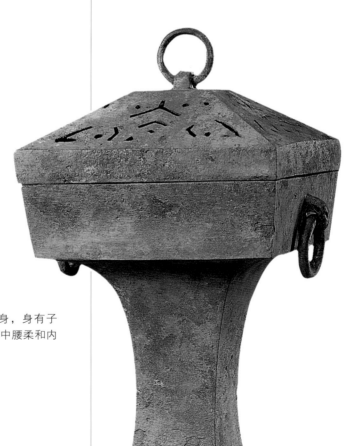

豆形方熏爐

西漢

高25.9、口長12.2厘米。

盝頂方蓋，頂有環鈕，蓋面鏤孔。方形器身，身有子口，四壁斜直，兩壁有鈕銜環。器柄較高，中腰柔和內收，下接方座。通體素面無紋飾。

現藏北京市保利藝術博物館。

秦至三國（公元前二二一年至公元二六五年）

獸足鼎形爐
西漢
河北滿城縣中山靖王劉勝墓出土。
高28.5、承盤徑30厘米。
鼎形爐身上罩弧頂蓋，蓋頂有鈕套環，
蓋面周邊飾十二個圓形鏤孔。爐身爲束
頸、淺腹、平底，肩部有四鈕套環，底
部排列十二個長方形鏤孔，底下接三隻
帶翼獸足。獸足下有平底承盤，盤一側
有流，可以傾倒盤中積蓄的液體。
現藏河北省博物館。

龜鶴座博山爐
西漢
山西朔州市出土。
高24.5、盤徑19厘米。
鏤空博山式蓋，斂口、折腹、圜底爐
身，一隻昂首展翅翹尾的鳳鳥張口銜
珠，珠與爐底相連。鶴兩足踏于昂首俯
卧龜背上，龜爬在平底折沿承盤中央。
現藏山西省平朔考古隊。

力士馭龍博山爐

西漢

河北滿城縣中山靖王劉勝之妻竇綰墓出土。

高32.3、盤徑22.3厘米。

博山鏤空熏蓋，上層透雕山巒、走獸、狩獵和驅車人物，下層透雕龍、虎、朱雀及駱駝。器身斂口、深腹、圜底，一腰纏飄帶的裸體力士一手馭龍，一手托舉爐腹。力士馭龍座固定在折沿平底盤中央。爐上有鎏銀的同心圓紋和柿蒂紋。

現藏河北省博物館。

金錯博山爐

西漢

河北滿城縣中山靖王劉勝墓出土

高26、足徑9.7厘米。

爐由博山形罩蓋和豆形爐身相扣而成，其中爐身又是將分鑄的爐盤、爐座套合後用鐵釘鉚合而成。爐蓋及爐盤上部鑄出高峻挺拔的層層山巒，用以使香烟升騰的鏤孔和奔走出没的各種野獸掩映于高低起伏的山峰間。山間還點綴三兩支小樹及追獵場面，給這幅山景帶來了勃勃生機。山巒部分錯以細如毫髮的金絲勾勒渲染，使山巒如處在流動的彩雲間。爐盤下部及爐座上端金錯粗綫條的雲水紋，爐座圈足則為透雕狀雲水及三龍紋。該熏爐是博山爐中最精美的一件，是西漢銅器工藝杰作。

現藏中國國家博物館。

羽人座博山爐

東漢

安徽廬江縣裴崗鄉漢墓出土。

高27、腹徑11.8厘米。

鏤空博山形蓋有活動關節與器相連。器爲斂口、垂腹、圈底，下有一跽坐羽人頭頂爐身。羽人坐于帶雲氣的博山座上，座下的承盤已失。

現藏安徽省巢湖市文物管理所。

未央宮鎏金高柄博山爐

西漢

陝西興平市豆馬村茂陵1號無名冢從葬坑出土。

高58、底徑13.3厘米。

分段鑄造後鉚接成形。爐盤和爐蓋與通常博山爐相似，作山巒重疊之形，盤下有從柄端伸出的三螭首承托。高柄如五節竹竿，非同尋常。柄的下端插在底座的兩條鏤空蟠龍的口中。器表以少見的鎏金鎏銀爲飾，金銀相襯，富麗堂皇。爐蓋和底座邊沿刻有大致相同的銘文，其蓋銘爲"内者未央尚卧，金黃塗竹節熏盧一具，并重十斤十二兩（座銘爲"十一斤"）。四年内官（座銘爲"寺工"）造，五年十月輸。第初三（座銘爲"四"）"。由此可知該熏爐當時的名稱，它本是未央宮皇帝御用之物。由于是爲皇家製作，其設計工巧，非普通熏爐所能及。

現藏陝西省茂陵博物館。

鴨形熏爐
西漢
山西朔州市出土。
高15.8、長18.6厘米。
熏爐主體造型爲一隻昂首挺立的鴨，鴨背微
隆，透雕雲氣紋作熏蓋，蓋可開啓。鴨足下有
盆形承盤，鴨體下部隱于盆中，給人以鴨在盆
中戲水之感。
現藏山西省平朔考古隊。

鎏金豆形博山爐
東漢
江蘇揚州市邗江區出土。
高32、盤徑26厘米。
博山式蓋，山巒鏤孔。爐身爲斂口、垂腹、圜
底，下承竹節形柄，圈足與承盤連爲一體。盤
爲折沿、斜壁、小平底。通體鎏金，器腹飾凸
弦紋一周。
現藏南京博物院。

羽人博山爐（右圖）

東漢

高27.7厘米。

博山形蓋，山間鏤孔飾雲氣，山頂立一展翅翹尾的鳳鳥。腹微斂口，腹壁鏤孔作游龍紋。一長須羽人頭頂爐腹，雙手撫膝，跽坐于四隻帶翼神獸圍護的座子上，神獸下托以覆盤式底座。通體用細密的陰綫紋刻劃細部。現藏北京市保利藝術博物館。

百鳥朝鳳熏爐

東漢

河南南陽市出土。

高20.5、腹徑12厘米。

熏爐作帶三足盤的圓鼎形。鼎的蓋器扣合如球形。蓋面鏤空，頂立一展翅翹尾的鳳鳥，周立四鳥相向。鼎口周邊附有四朵五瓣花以固定熏蓋，兩側鼎耳的位置也出二枝立二鳥，圜底，腹側接三蹄足。鼎形熏爐下有折沿平底盤，盤下有三蹄足。

現藏河南省鄭州市博物館。

獸形銅硯盒

東漢

安徽肥東縣草鞋鄉大孤堆東漢墓出土。

長12.5、寬7、高6.5厘米。

硯盒由蓋與底座兩部分組成，合起時為頭有雙角，身有雙翼的怪獸。怪獸上部盒蓋背設鈕套環，以便揭取；下部硯座內嵌硯石一塊。獸身上原鑲嵌有綠松石，大多脫落。

現藏安徽省博物館。

鎏金獸形硯盒

東漢

江蘇徐州市土山大型磚室墓出土。

高10.5、長25、寬14.8厘米。

伏獸的頭有長角，身有雙翼，大概是傳說中的神獸天祿。神獸張嘴露齒，從嘴角向後，獸體分為上背和下腹兩部分，上部盒蓋背設小鈕，下部硯座內嵌硯石。硯盒通體鎏金，其上鎏銀的雲水紋間，鑲嵌着近百顆紅珊瑚、青金石和綠松石。金光寶氣，富麗華美。

現藏南京博物院。

鎏金羽人器筒

東漢

河南洛陽市洛陽機車廠漢墓出土。

通高15.5厘米。

整體造型爲雙手抱挾一個平面呈前方後圓內部中空器具的跽坐羽人。其形態爲尖頭披髮，大耳高聳，眉脊突起，高鼻深目，尖嘴露齒，頤有短鬚；其背有雙翼，身着右衽深衣，衣下端有垂羽。羽人器筒外表鎏金，并鑄有陰綫的雲水紋和三角紋，通體“泛光流采”，精美异常。從羽人姿態和所持器具形態來看，它應是用來插放案頭用品之類的文具。

現藏河南省洛陽市文物工作隊。

羽人器座

西漢

陝西西安市南玉豐村出土。

高15.3厘米。

羽人跽坐，雙手前伸作抱物狀。人的形態爲大耳高鼻，隆眉披髮，肩有雙翼，束帶長衣，衣下垂羽。雙膝間有弧形內凹，原先應當如洛陽鎏金羽人器筒那樣抱有可插物的器皿，羽人衹是這個容器的座子。

現藏陝西省西安文物保護考古所。

地盤

東漢

邊長14.3厘米。

漢代占卜工具。完整的栻盤由圓形天盤與方形地盤組成，此器天盤已佚，祇餘地盤。栻盤分六壬、太乙、遁甲等多類，此爲六壬栻盤。地盤外輪廓呈方形，中有略凹的素面圓圈，這是原先圓形天盤的位置。天盤座子外有方框，框的四角各有一乳釘，可能代表支撑天的四柱。方框與邊框四角間有寬帶的連綫，應該表示四維。四周列有表示日月行度的天干地支。

現藏中國國家博物館。

鎏金錯銀雲氣紋當盧

西漢

河北滿城縣中山靖王劉勝之妻竇綰墓出土。

長25.3、上寬13.7厘米。

當盧呈垂葉形，上寬下細，除上端折轉外，其餘圓轉。當盧正面紋飾爲對稱布局，以一略小的隨形垂葉將圖案分爲内外兩層，内外層均以雲水紋構成對稱對龍形圖案，再在雲水裏添加追獵、龍鳳和异獸。通體鎏金錯銀。

現藏河北省博物館。

嵌錯狩獵紋俾倪（右圖）

西漢

河北定州市三盤山22號墓出土。

高26.4、直徑3.5厘米。

器如圓形竹筒，中空，由中部分爲上、下兩段，以子母口套接在一起。筒的表面以竹節紋分爲四節，每節均在鍍銀的地上金錯各種精美的花紋，并鑲嵌綠松石和紅瑪瑙作點綴。紋飾內容：上起第一節以乘龍馭象爲主題；第二節以騎士射虎爲主題；第三節以駱駝虎豕爲主題；第四節主題則爲鳳鳥紋。主題紋樣周圍有山巒、雲水、游龍、天馬、飛鶴、猛虎、野牛、熊羆、鹿獐、奔兔、野豬、孔雀、雁鶴等襯托，華麗异常。

現藏河北省博物館。

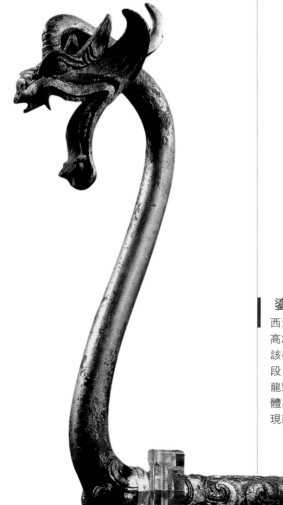

鎏金龍首形蓋弓帽

西漢

高29厘米。

該器爲車上傘蓋或帳頂木質細撐下端的裝飾。分前後兩段：後段爲直圓管，中部有勾牙；前段爲上昂的龍頭，龍頸後仰，龍頭朝下，怒目大口，造型生動。蓋弓帽通體鎏金，頗爲華麗。

現藏北京市保利藝術博物館。

秦至三國（公元前二二一年至公元二六五年）

錯金銀弩輒

西漢

河北滿城縣陵山中山靖王劉勝墓出土。

長12.3厘米。

弩輒是固定在車前以承放弓弩的器具。兩件一副，形制相同。後部較寬，一端中空，可以插在車廂前伸出的構建上；前部細而彎曲，好似半個彎弓。通體飾錯金銀的斜角雲紋和渦狀雲紋。

現藏河北省博物館。

錯金銀承弩器

西漢

高18.5厘米。

兩件一副，形制相同。都是後部作寬長方形，前部呈細長的半弓形。通體錯金銀作流暢的渦狀捲雲紋。

現藏北京市保利藝術博物館。

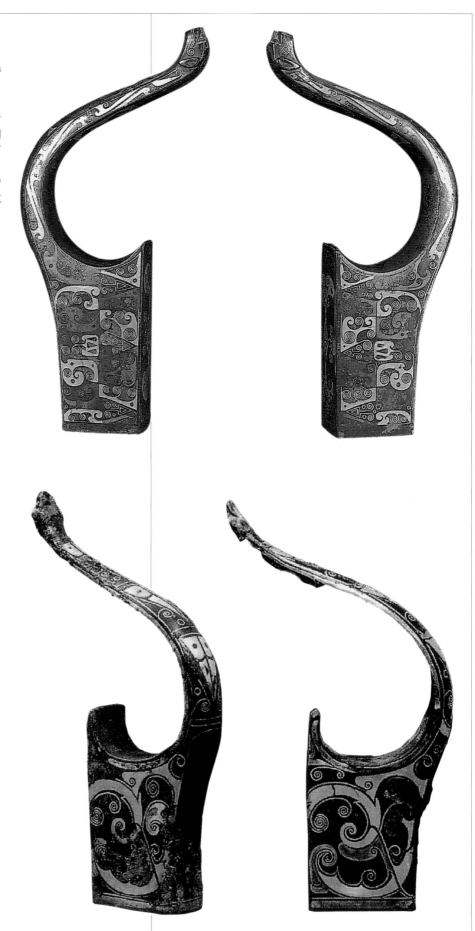

四馬立車

秦

通高152、全長225厘米。

陝西西安市臨潼區秦始皇陵封土西側大型陪葬坑出土。
編號爲1號銅馬車，大小約爲真車馬的二分之一，爲單
轅雙輪駕駟依乘的立車（也可稱高車、輅車），因車內
配載有弩、箭、盾等兵器，又可稱戎車或戎路。其車輿
平面呈橫長方形，前面及左右兩側立欄板，前邊有軾，
後邊辟門，輿中傘座上插有一圓形傘蓋。一帶長劍的御
者雙手持轡立于輿中。馬車均通體彩繪，彩繪以乳白色
爲地，其上用紅、藍、綠諸色繪成各種捲雲紋及幾何
紋。銅馬車全係仿照真車真馬製作，且仿製得極爲逼
真，它是瞭解秦及先秦時期馬車的絕佳材料。
現藏陝西省秦始皇兵馬俑博物館。

[青銅器]

秦至三國（公元前二二一年至公元二六五年）

四馬安車

秦

陝西西安市臨潼區秦始皇陵封土西側大型陪葬坑出土。
通高152、全長225厘米。

編號爲2號銅馬車，大小約爲真車馬的二分之一，爲單
轅雙輪駕駟坐乘的安車（也可稱輼車）。其車輿平面呈
凸字形，分爲前後二室，前室的前端及左右兩側前部設
有低矮的欄板，其內踞坐一腰配短劍、雙手執轡的御
者。後室較前室略寬，爲主人所乘。室的四周除欄板外
還有墻，其中前墻及兩側各設一窗，後墻有門以供出
入。墻上覆有橢圓形"如鱉而長"的車蓋（鱉甲）。馬
車均通體以乳白色爲地，其上用紅、藍、綠諸色繪成各
種捲雲紋及幾何紋樣，色彩莊重，華貴典雅。

現藏陝西省秦始皇兵馬俑博物館。

飛馬踏燕

東漢

甘肅武威市雷臺漢墓出土。

高34.5、長45厘米。

馬昂首揚尾，三足騰空，全部中心都集中於踏在一隻鳥上的後足上，既表現出該馬超過飛鳥的奔馳速度，又使鳥起到了器座的作用。具有極高的藝術價值。該銅馬在墓中與其它銅車騎顯然有別，它不是用作墓主的儀仗模型，而是當時用作選擇良馬的標準模式。古書中記載的相馬的馬式，其造型正與此類似。

現藏甘肅省博物館。

鎏金馬

西漢

陝西興平市豆馬村茂陵1號無名冢從葬坑出土。

高62、長76厘米。

馬作佇立狀，分鑄焊接或鉚接成形。馬口微張，露出六齒，兩耳竪立，鬃毛從耳間一直延至頸背相交處。頸部前伸，身軀修長，尾部下垂，馬蹄較小。整體形態接近秦始皇陵銅馬車的銅馬而與東漢銅馬迥然有別。馬通體鎏金，製作甚工。此鎏金銅馬造型逼真，不帶鞍具，它應當不是普通的乘騎而是當時良馬的標本。

現藏陝西省茂陵博物館。

單馬輦車

東漢

貴州興義市萬屯8號墓出土。

馬高88、長45厘米，車高69、長95、寬60厘米。

車和馬都是用高鉛的鉛錫青銅分段鑄造，然後拼裝鉚合。銅車形制爲雙轅輈車，它是漢代銅馬車製作比較精細、保存比較完好的一例。

現藏貴州省博物館。

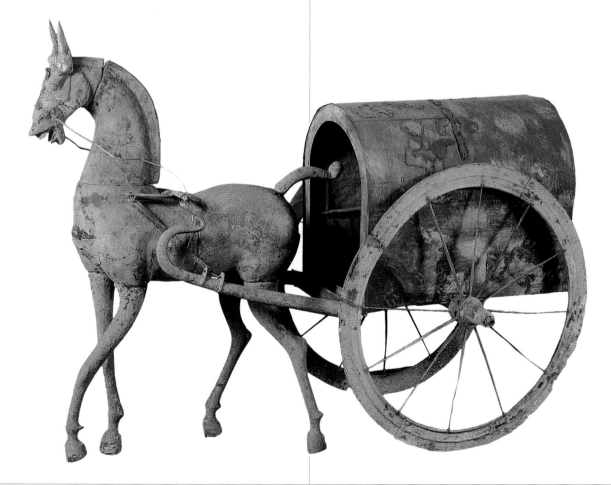

車馬儀仗群

東漢

甘肅省武威市雷臺漢墓出土。

全組車騎儀仗共由銅俑四十五個、銅馬三十八（銅馬式除外）匹、銅車十四輛組成。所有的車騎都是塊範分鑄後焊接或鉚接成形。車騎排列次序是：騎士十七、騎馬五、單馬斧車一、單馬軺車四、騎馬一、單馬小車和單馬輂車各一、騎馬一、單馬輦車二、騎馬一、小車一、大車三、牛車一。車皆有"御奴"，騎馬或有"牽馬奴"，此外還有"從婢"多人。其中那些象徵主人乘坐或拉車的銅馬身上多有刻銘，如"冀張君騎一匹，牽馬奴一人"，"守張掖長張君郎君前夫人輂車、馬，將車奴一人，從婢一人"，"守左騎千人張掖長張君騎馬一匹，牽馬奴一人"等，這些銘文爲瞭解這些銅儀仗所有者和墓主的身份提供了重要信息。雷臺銅車馬數量衆多，排列有序，造型逼真，用途分明，它是場面最大的漢代銅車馬組合，是反映漢官儀仗的珍貴實物。

現藏甘肅省博物館。

車馬儀仗群局部之一

秦至三國（公元前二二一年至公元二六五年）

車馬儀仗群局部之二

車馬儀仗群局部之三

車馬儀仗群局部之四

秦至三國（公元前二二一年至公元二六五年）

説唱俑

西漢

河北滿城縣中山靖王劉勝墓出土。

高7.8厘米。

兩俑均跪坐，高髻圓帽，身穿錯金錦紋衣，袒胸露腹。

姿態各异，表情滑稽可愛，當爲説唱俑形象。

現藏河北省博物館。

三戲俑

西漢

江蘇漣水縣三里墩出土。

高5厘米。

三俑皆裸體，一男二女，作環抱狀。三人披髮或束髻。

現藏南京博物院。

四戲俑

西漢

山西朔州市出土。

最高者5.5厘米。

四俑姿態、表情各异，或面容愁苦，撫膝端坐，或盤腿仰身，面有喜色，應爲説唱俑形象。

現藏山西省平朔考古隊。

四戲俑

西漢

廣西西林縣普馱出土。

高9-10厘米。

四踞坐俑，均戴冠，身着長袍。四俑姿態各异，一人舉左掌于右肩，一人右掌置于膝上，一人雙手撫膝，一人右掌舉至耳際，均爲説唱俑。

現藏廣西壯族自治區博物館。

鎏金動物

東漢

河南偃師市李家村出土。

馬高5.9、長6.2，象高3.5、長4.2，鹿高8.6、長6.7，
牛高4.8、長7厘米。

一馬、一羊、四象、四牛、二鹿同出于一酒尊内，均通
體鎏金，神態各异。選馬、象、鹿、牛各一。馬身飾勒
帶及雲紋。

現藏河南博物院。

房屋模型

西漢

廣西合浦縣望牛嶺木槨墓出土。

面闊79.3、進深42.7、通高37.3厘米。

干欄式建築，八根短柱抬起屋身。前檐有廊，廊爲三間
四柱，兩次間有簡單的田字形欄杆。屋身由壁柱和壁穿
構成框架，其間爲薄木板或編壁墙的模樣。前壁正中辟
兩扇板門，門下有較高的門檻，門有門環。懸山屋頂，
前檐出檐較遠。屋頂各有十二瓦壟，并鑄出仰覆板瓦形
狀。該銅屋模型結構簡潔樸素，反映了當時南方地區普
通房屋的情况。

現藏廣西壯族自治區博物館。

倉屋

東漢

廣西梧州市出土。

通高33.3、長40厘米。

干欄式建築，懸山式覆瓦形頂，前有一單扇門，設有門環。前有平臺，下有四支柱支撐。

現藏廣西壯族自治區梧州市博物館。

獨角獸

東漢

甘肅酒泉市下清河漢墓出土。

全長74.7、身高24.5厘米。

銅獸由可以拆卸的角、身、尾三部分組成，角、尾均插入身軀內。獸俯身揚尾、獨角前衝。頭似虎而有長長的帶刺獨角，身似馬或鹿却遍體鱗甲，尾既大且長。足和尾形狀呈薄片狀，比較獨特。此獸研究者或指爲"獬豸"。

現藏甘肅省博物館。

陶座搖錢樹

東漢

四川彭山縣雙江鄉崖墓出土。

樹高90、座高45.3厘米。

由錢樹與陶座兩部分組成。錢樹在主幹上分出五層扁平枝杈，每層分爲左右兩枝。自上而下前四層八枝圖案相同，均爲西王母、仙人、牛郎織女、神鹿及銅錢圖案。最下一層兩枝則爲西王母、雜技、玉兔搗藥、仙人歌舞等圖案。主幹頂部爲一朱雀，其前方有一人首蛇身之人雙手高舉一輪滿月，月中飾蟾蜍。陶座上部浮雕二獨角神獸，下部飾錢紋綬帶。

現藏四川博物院。

四環蟠虺紋鈁

西漢

廣東廣州市象崗山南越王墓出土。

高55.5、口邊長15厘米。

斜壁盝頂蓋，四坡有龍形鈕。器爲方唇直頸，弧面鼓腹，圈足四角有很小的短足。肩部四中有銜環鋪首。頸飾蕉葉紋，蓋面、器身、圈足均飾細密綫條組成的蟠虺紋，蓋有鎏金痕迹。

現藏廣東省廣州南越王墓博物館。

鎏金漆繪雲紋壺

西漢

廣西貴港市羅泊灣1號木椁墓出土。

高42.8、口徑16.2厘米。

壺口斜壁罩弧頂蓋，蓋面等距立三隻鳳形鈕。器爲直口、曲頸、鼓腹、圈足，肩腹部兩側對置銜環鋪首。器肩部和腹部各有一道寬帶，器表鎏金，頸、腹分別以黑漆繪出三角紋和捲雲紋。

現藏廣西壯族自治區博物館。

漆繪人物魚龍紋盆

西漢

廣西貴港市羅泊灣出土。

高13.5、口徑50厘米。

盤爲折平沿、直壁折轉、圜底近平，盤壁上有四個對稱的銜環鋪首。盤的口沿和周壁內外用彩漆繪製流暢艷麗的圖畫。口沿爲菱形圖案。外壁圖畫以四個鋪首分隔爲四組，其內分別繪製不同的人物和動物，表現追獵、舞劍、拜謁等不同場面。內壁繪製兩條游龍，其間點綴以雲水和游魚等，兩條龍紋間的間隔利用外壁鋪首的鉚釘繪製柿蒂紋，另兩顆鋪首的鉚釘則利用作爲龍口中的含珠，設計構思頗爲巧妙。

現藏廣西壯族自治區博物館。

幾何紋筒

西漢

廣西貴港市羅泊灣出土。

高36、口徑35.5厘米。

圓筒形器、口徑大于底徑，平底，圈足。頸兩側對置環形附耳，內豎貫耳。器身飾四組幾何紋帶。同出四件，大小相次，此件最大。

現藏廣西壯族自治區博物館。

四輪烤爐

西漢

廣東廣州市象崗山南越王墓出土。

高11、長61、寬52.5厘米。

爐平面呈長方形，四周寬平沿中央低四角高，沿面內側有若干小圓柱支撐。沿面及四壁均分爲三塊，前後各有兩個銜環鋪首。爐底中部略低，四周稍淺，靠近四角各有帶軸小輪一個，可以推動。爐沿面及爐壁面滿飾細密的鑄紋，每面均爲三組，中央一組周邊以小龍紋組成邊框，其內爲三層小龍紋；兩側兩組周邊也以小龍紋爲邊框，其內爲較大的蟠蛇紋。爐內填有泥土以保溫和隔熱。

現藏廣東省廣州南越王墓博物館。

四梟足烤爐

西漢

廣東廣州市象崗山南越王墓出土。

高11、長27.5、寬27厘米。

爐平面呈方形，四周寬平沿中央低四角高，沿面內側有若干小圓柱支撐。四壁中央各有銜環鋪首一個。爐底中部略低，四周稍淺，靠近四角以蹲立的鴞鴞爲足。四沿面飾蟠龍紋，四壁面飾勾連雲氣紋。爐內填有泥土以保溫和隔熱。

現藏廣東省廣州南越王墓博物館。

漆繪鋞

西漢

廣西貴港市羅泊灣1號木槨墓出土。

高42、口徑14、底徑12厘米。

其器形似"圜直上"的鋞（《説文・金部》），圓形、直腹，有蓋，圈足，帶提梁。蓋頂部作圓環狀瓦溝紋三道，中心有鈕。身上有子母口以納蓋，口部、中部和底部各施弦紋三道，使身呈兩節竹筒狀；在身近口處有一對稱的鋪首環鈕，内繫活動提梁。器表用漆彩繪，除器蓋和圈足側面分别彩繪連續雲水紋和斜角勾片紋外，器身以竹節狀凸棱和兩道漆繪綫條分爲四層，每層都繪有人物、禽獸、雲氣等圖像。

現藏廣西壯族自治區博物館。

文帝九年鈎鑃

西漢

廣東廣州市象崗南越王墓出土。

通高37-64厘米。

同出八件，大小相次，此爲其一。覆瓦形體，上大下小，弧形口，鐘體微鼓，下接扁方柱形柄。外壁光素，一面刻銘兩行八字"文帝九年樂府工造"，其下分刻"第一"至"第八"編號。

現藏廣州市南越王墓博物館。

划船紋銅鼓

西漢

廣西貴港市羅泊灣1號木槨墓出土。

高36.8、面徑56.4、足徑67.8厘米。

屬石寨山型銅鼓。鼓面小于胴而大于鼓腰，胴膨大突出且最大徑偏上，鼓腰部上小下大，下接鼓足。在鼓胸部和腰部間有瓣狀小扁耳兩對。紋飾皆陽紋。鼓面中心爲十二芒太陽紋，其外繞暈圈三組：内暈在三周同心圓間飾以重圓紋和變體勾連雷紋；中暈爲翔鷺紋；外暈除三

周同心圓外還飾以鋸齒紋和重圓紋。鼓胸以划船圖爲主體，上下分別界以鋸齒紋和重圓紋。划船圖有首尾相接的舟船六艘，每船有划手四人，絕大多數皆戴高聳的羽冠。鼓腰以舞蹈圖爲主體，其下界以鋸齒紋和重圓紋。舞者皆頭立羽冠，下着羽裳，其上有鷺鳥飛翔。鼓足一側橫刻隸書"百廿斤"三字。該鼓紋飾的表現方式已向圖案化方向發展，構圖重視對稱韵律，具有較强烈的裝飾效果。

現藏廣西壯族自治區博物館。

人面紋羊角鈕鐘

西漢

廣西貴港市羅泊灣1號木槨墓出土。

高19厘米。

鐘體截面呈橢圓形，立面上小下大，圜頂齊口。鐘上端開長方形孔以便懸掛，頂有外撇的羊角形裝飾。鐘面光素，僅有陽綫的簡化人面。

現藏廣西壯族自治區博物館。

曲折紋熏爐

西漢

廣東廣州市出土。

高14.6、邊長4.3厘米。

屬豆形熏爐類。方形，上有隆頂攢尖蓋，頂有橋形鈕。器斂口垂腹，方柄上部外鼓，下端外侈成圓形圈足。蓋面與器壁都有鏤空的曲折紋，器口下有凸弦紋一道。

現藏廣東省廣州市博物館。

四連體方熏爐

西漢

廣東廣州市象崗山南越王墓出土。

高14.4厘米。

屬豆形熏爐類。爐體上部像四隻連在一起的帶蓋方形圜底小盒，但攢尖頂的盒蓋連爲整體，將四個小盒罩在一起；爐體下部是一粗壯方柄，柄的上端斜侈，中腰內曲，下端外撇。爐的蓋面及腹部均有鏤空的曲折紋以散發香氣。

現藏廣東省廣州南越王墓博物館。

鎏金獸面形屏風頂飾

西漢

廣東廣州市象崗山南越王墓出土。

長57.2厘米。

共三件，分別插在屏風的正面和兩翼中央。頂飾中間爲扁圓形獸面，獸面咧嘴露齒，下有對稱的曲尺形支架，額上有插管，插管兩側出獸面雙角。獸面兩側伸出長短不一的捲雲，兩側捲雲對稱，捲雲末端接插管。通體鎏金。

現藏廣東省廣州南越王墓博物館。

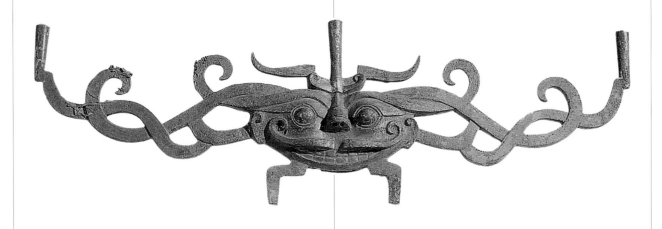

秦至三國（公元前二二一年至公元二六五年）

鎏金蟠龍屏風托座

西漢

廣東廣州市象崗山南越王墓出土。

高33.5、長27.8厘米。

兩件成對，造型相同，都是昂首、曲體、盤尾，四足踩在由兩條蛇組成的三足支架上。龍的頭頂有插管，可插裝飾。通體鎏金并飾羽紋，鎏金已經脫落。

現藏廣東省省廣州南越王墓博物館。

朱雀屏風插座

西漢

廣東廣州市象崗山南越王墓出土。

高26.4、寬24.5厘米。

兩件成對，造型相同，都是雙腿微曲、昂首翹尾、展翅欲飛的朱雀形。鳥的頭頂有插管，尾部上端敞開，可插尾羽。鳥足站在一花蕾上，花蕾下端有鎏孔，原先是插在屏風轉角處的軸上。通體鎏金并飾羽紋。

現藏廣東省廣州南越王墓博物館。

鎏金屏風轉角托座
西漢

廣東廣州市象崗山南越王墓出土。

高31.5、橫長15.8厘米。

此爲漆木屏風轉角處的托座。托座上部爲曲尺形銅轉角，轉角兩端中空，可以插入屏風邊框的木枋。托座下部爲人形支脚。人作踞坐姿態，頭頂轉角，大眼獠牙，身着右衽衣，口銜一雙頭蛇，雙手向下各操一蛇，雙腿亦夾有蛇。顯然此人不是普通的人，而是操蛇的神人。神像旁有透雕垂雲紋輔助支撐。銅件鎏金，頗爲華麗。現藏廣東省廣州南越王墓博物館。

鎏金騎俑
西漢

廣西西林縣普馱屯古墓出土。

通高59、長61厘米。

馬昂首翹尾，頭部碩大，前胸健壯，作佇立之狀。一人據鞍坐于馬上，雙手平舉，作持勒繮之形。騎士身軀較小，頭戴平冠，身着短衣，雙足着靴。鎏金已大半脫落。現藏廣西壯族自治區博物館。

馬與馭手

西漢

廣西貴港市風流嶺出土。

馬高115、長109、俑高39厘米。

銅馬分九段鑄造，然後套合鉚接而成。馬屬雄性，昂首挺胸，右腿提起，作行走狀。馭者頭戴冠，雙手前舉，屈膝跽坐，好似正在駕車。馬體高大而馭者瘦小，更突出了馬的矯健威武。

現藏廣西壯族自治區博物館。

立牛蓋鈕尊

西漢

雲南江川縣李家山17號墓出土。

高31厘米。

口罩器蓋，蓋的形狀好似一柄倒置的淺盤豆，圈頂上立一牛。器頸較粗，腹部外鼓，圈足粗而外撇。蓋飾鳥紋和竹節紋，器素净無紋飾。

現藏雲南省博物館。

雙牛肩飾尊

西漢

雲南晋寧縣石寨山17號墓出土。

高26.1、口徑16.7厘米。

口部斜侈，腹部短而極度外鼓，圈足甚高。素面，衹在肩部兩側對稱設置立體的卧牛。石寨山文化的銅尊圈足長于頸部，造型獨特。

現藏雲南省博物館。

立牛蓋鈕球腹壺

西漢

雲南江川縣李家山24號墓出土。
器口上有銅鼓形蓋，蓋頂鑄一立牛。器身爲小口長頸，
頸部如上小下大的圓管，腹部好似圓球。
現藏雲南省博物館。

立牛蓋鈕筒形杯

西漢

雲南江川縣李家山出土。
高29厘米。
口罩覆豆形杯，圈狀捉手内插一立牛爲鈕。杯形如一端
封閉的圓筒，口部略粗，斜直腹至底略外張，平底下接
矮圈足。蓋飾孔雀紋和竹節紋，腹部及圈足飾雙弦紋和
斜方格紋。
現藏雲南省博物館。

弧面弦紋俎

西漢

雲南騰冲縣曲石出土。

高11.5、長39厘米。

案面呈弧形，中部稍窄較低，逐漸向兩側上翹且略爲加寬。案的前後承以案足，足上爲三立撐，下施橫足附。案面中央素面，兩側邊沿飾三角形齒紋，中間以直線分爲六格，格内以弦紋和雲紋相間。案足上飾斜綫三角形紋。

現藏雲南省騰冲縣文物管理所。

虎咬牛形俎

西漢

雲南江川縣李家山24號墓出土。

高43、長76厘米。

案由二牛一虎組成。案體爲立牛，牛的前部比較寫實，後部抽象。牛背做成下凹的平面以作案面，四隻牛腿作爲案足，前後足間連以橫梁，牛腹中空，其下橫置一小牛，牛足正立于橫梁上。一虎爬在牛的臀部，口銜牛尾，作搏殺牛的姿勢。案的整體造型奇特，工藝精湛。

現藏雲南省博物館。

五牛綫盒

西漢

雲南江川縣李家山出土。

高31.2、蓋徑18厘米。

器身上部圓形，底部收攏爲圓角方形，平底，四扁平足。蓋中部隆起，上鑄一牛，周圍四牛環列，頸兩側對置貫耳。蓋、器通飾各類幾何紋，牛腹飾雲紋及編織紋，出土時盒內殘裝絲綫。

現藏雲南省博物館。

群獸雕塑蓋貯貝器

西漢

雲南江川縣李家山22號墓出土。

高34.5、蓋徑16.6厘米。

蓋器相扣呈一上下粗、中腰細的筒形，平頂蓋上有立體的群獸雕塑。器身上部比下部略大，平底下以三踞坐人爲足。腰飾陰綫的圖案，上部爲孔雀銜蛇紋，下部爲四人趕牛逐鹿圖。器蓋頂部中央鑄一體量較大的牛，周圍鑄體量略小的一虎三鹿。

現藏雲南省博物館。

五牛貯貝器

西漢

雲南江川縣李家山17號墓出土。

高31.2、蓋徑16.3厘米。

蓋罩于器的子口上，蓋器扣合如同兩頭封堵的圓筒形。蓋壁斜侈，平頂中央置一銅鼓，上立一牛，周圍四牛環繞。器身上小下大，平底，邊緣伸出三矮足。蓋、器近口沿處各有貫耳，器身飾雙弦紋、三角紋等圖案。

現藏雲南省博物館。

八牛貯貝器

西漢

雲南晉寧縣石寨山出土。

高49、蓋徑30.4厘米。

圓筒形器，束腰平底，底部接三獸爪形足，腰部對置虎形耳，一耳佚失。平蓋，蓋頂中立一牛，周圍環繞七隻較小之牛，腰部陰刻孔雀紋、馬紋等紋帶。

現藏雲南省博物館。

[青銅器]

秦至三國（公元前二二一年至公元二六五年）

1057

騎士四牛蓋貯貝器

西漢

雲南晋寧縣石寨山10號墓出土。

高50、蓋徑26厘米。

身如圓桶，上大下小，中腰收束，腰部有對稱的虎形竪耳一對。平底，三足，足長方形。器蓋以子母口嵌蓋于器上，蓋面中立一柱，圍柱配置立牛四頭；柱頂一方臺，臺上高置一馬，馬背一鎏金騎士。騎士挽髻于頂，短袖窄褲，腰中束帶，跣足，左腰佩帶鞘短劍，應是一位貴族。

現藏雲南省博物館。

詛盟群像蓋貯貝器

西漢

雲南晉寧縣石寨山12號墓出土。

高53、器蓋直徑32厘米。

器內貯貝。形制如中腰收細的圓桶，兩側有虎形雙耳，虎作昂首攀登之狀，平底，下有三獸爪形足。蓋平面雕鑄人物尚存者一百二十七人，錯綜密集但布局嚴整，主次分明。全局以一干欄式建築之下層平臺活動爲中心，臺高與人齊，四角以柱承之。臺左右兩邊各直列銅鼓六，後邊橫列銅鼓四，前臺口左右各設一梯。臺後柱前一高凳，一人踞坐其上，其右後置銅鼓二；其左前一列五人，右前一列三人，均背鼓席地而坐，人前各有盂形飲器。臺口一人正升梯捧物而進，腿後拖三叉形後幅。

九人皆挽髻于頂。臺前右角一大鼎，上橫大勺，鼎外一牛一羊，其前二人挽髻拖幅，右手執刀；左角一大鑊，鑊外一馬一豬，旁立宰豬刑馬者多人。臺左邊緣二虎，其前一死犬，立一挽髻者看守；虎前尚立一孔雀，一女子正持蛇以飼。虎臺之間原有樂器四組，現存一組，爲銅鼓、錞于各一，一挽髻拖幅者雙手各一錘擊之。臺前左右邊緣坐滇族女子多人，似觀禮者。臺後左右較遠處各一巨型銅鼓，其間左立一銅柱，上繞蛇二條，柱腳巨蛇已將一人吞噬一半；右立一牌，上縛一裸體挽髻男子。場內多數人物布置在臺與巨鼓之間。整個場面生動壯觀，内容豐富，係“犧牲列獸”且有人牲的隆重“詛盟”儀式。

現藏雲南省博物館。

紡織群像貯貝器

西漢

雲南江川縣李家山69號墓出土。

高48、蓋徑24厘米。

蓋罩于器的子口上，蓋器扣合如同兩頭封堵的圓筒形。蓋壁斜侈，平頂，頂上有立體雕塑。器身上小下大，平底邊緣伸出三矮足。蓋、器兩側均對置虎形耳，器表滿布聯珠、捲雲、三角、雲雷等幾何紋飾。器蓋上的立體雕塑群表現的是紡織場面，正中一貴婦通體鎏金，撫膝跪坐于鼓形座上，其後跪有一女手持長柄傘蓋爲貴婦遮陽，其左一女執食盒跪侍，其前有一女跪坐以聽候差遣。貴婦周圍或跪或坐有六位婦女，其中兩人繞綫，四人埋頭織布。這是一幅當時滇國貴族婦女監督紡織的場景。

現藏雲南省江川縣文物管理所。

戰爭群像蓋貯貝器

西漢

雲南省晉寧縣石寨山6號墓出土。

高53.9、蓋面徑33、通高53.9厘米。

器屬鼓形貯貝器類。由兩具銅鼓上下重疊焊接而成，有底有蓋。出土時器內滿貯貨貝。兩鼓器身紋飾相同，顯爲特意選鑄；胴部各鑄羽人及船紋六組，腰部各飾牛與羽人紋，足部和胴上均刻三角齒紋和同心圓渦紋帶。蓋

面現存圓雕狀五騎十八人的戰爭場面，人馬馳殺大致按逆時針方向進行。中央一騎爲指揮作戰的己方主將，其形體較大，通體鎏金。主將戴盔着甲，右手執矛下刺；周圍是己方士兵在追殺擄掠敵方士兵的場面。這一雕鑄場面，從激戰到敵人被俘、投降，表現了一次戰爭的全過程，人馬栩栩如生，觀者如臨其境。

現藏雲南省博物館。

祭祀群像貯貝器

西漢

雲南江川縣李家山69號墓出土。

高40、蓋徑28.8厘米。

屬鼓形貯貝器。由廢銅鼓改製而成，圓板形蓋，蓋面有立體雕塑。器身由胴、腰、足三部分組成，胴腰間有四扁耳，足下附三短足。胴上部飾同心圓紋和鋸齒紋，下部划船紋；腰部飾羽人舞蹈紋，下襯以同心圓紋和鋸齒紋。蓋面中央圓孔內插一高大圓柱，圍繞着圓柱有一隊人馬正在做某種儀式：隊列前有二騎開道，其後一男扛鏹，一女挎囊，一男持棒；再後爲四人抬一肩輿，肩輿內坐通體鎏金的貴婦，肩輿兩側有執傘和捧食的四位男女隨侍；銅柱另一側有裝束各异的男女老少多人，或手持、或頭頂、或肩負各種物品，好像正在貿易。蓋群像表現的應是在公共祭祀場所進行與農事相關的小型祭祀活動。

現藏雲南省江川縣文物管理所。

殺人祭柱群像貯貝器

西漢

雲南晉寧縣石寨山出土。

高38、蓋徑30厘米。

屬鼓形貯貝器。平板圓蓋，蓋面有立體雕像。器身略
殘，胴腰間飾四繩索紋扁耳，腰部綫刻八個狩獵的裸體
人像。蓋面正中立一柱，柱身纏繞二蛇，柱頂立一虎，

底座臥一鰐魚。柱右豎一木牌，上縛一裸體男子。木牌
旁另一人裸體，反縛雙手，跪于地上；一人坐地，左足
套枷。柱後坐婦女四排，周圍有男女佇立觀望。柱後有
一婦女坐于肩輿之內，旁有男女隨從奉待，其附近另有
行刑場面。在蓋面兩側還各置銅鼓一面。

現藏雲南省博物館。

紡織群像蓋貯貝器

西漢

雲南晋寧縣石寨山出土。

通高21、蓋徑24.5厘米。

屬鼓形貯貝器。平板形蓋，上有立體群像。器身的胴腰間有四扁耳，圈足上有立體的四飛鳥，腰間亦飾四隻陰綫紋的孔雀。蓋上共有人像十八名：女主人通體鎏金，端坐于一圓墊上，周有持傘侍女（已脫落）和奉食侍女。 蓋緣坐有婦人數人，都伸腿坐地進行紡織活動，紡織工序各不相同，爲認識當時這一地區的紡織工藝提供了直觀的材料。

現藏中國國家博物館。

戰争場面貯貝器蓋

西漢

雲南晉寧縣石寨山出土。

蓋徑30厘米。

蓋上共雕鑄人物十三名。正中一武士通體鎏金。武士披
貫盔甲，騎于戰馬之上，執矛下刺，馬頸下繫一人頭，
當爲敵人主帥。周圍人物皆爲步卒，激烈戰鬥，地面俯
卧屍體數具。

現藏雲南省博物館。

划船牛紋鼓

西漢

雲南江川縣李家山出土。

高30.1、鼓面直徑39.1厘米。

鼓面中部飾十二芒太陽紋，芒間飾斜綫三角紋。外由同心圓紋與鋸齒紋等相間組成五暈。胴上部及圈足各有三暈，由鋸齒紋、同心圓紋組成。胴下部一暈有船紋四組，每船載四至五人不等，腰間、暈分爲八格，兩格飾牛紋，三格飾羽冠舞者，三格空白。

現藏雲南省博物館。

貼金鼓

西漢

雲南江川縣李家山出土。

高10、底徑13.6厘米。

鼓面飾十二芒，芒體凸出，十二芒中央有一方孔，外附三暈。胴部飾側坐之羽人，腰部分爲八格，腰、胴間扁平，底部內折。暈、胴下部及腰下部均飾同心圓紋、三角齒紋。表面貼有金箔。

現藏雲南省江川縣文物管理所。

划船舞蹈紋鼓

西漢

雲南廣南縣阿章寨出土。

高48、面徑68厘米。

鼓面正中飾十四芒太陽紋，外飾由點紋、圓渦紋及三角形齒紋組成的五暈。胴部六暈，第四暈飾船紋四組，船上有人、炊具等。腰上部分爲十四格，格內多飾戴羽冠者及牛紋，下部五暈，腰、胴相接處有四扁耳。此爲迄今爲止雲南出土銅鼓中最大的一件。

現藏雲南省博物館。

羽人紋鑼

西漢

雲南晉寧縣石寨山出土。

直徑52.5厘米。

斗笠形鑼，沿邊一側有半環鈕。鑼身中央爲八芒太陽紋，外側及邊沿共飾七圈三角形齒紋、勾連雲紋，中夾一圈人物紋，共有二十二名戴羽冠舞者，均手持長翎，另有一人身着長衣，并佩長劍。

現藏雲南省博物館。

雷文圓頂鐘

西漢

雲南祥雲縣大波那出土。

通高48厘米。

扁圓形體，繩紋鈕，鐘體中部微鼓。通體飾回紋、雲紋圖案。

現藏雲南省博物館。

編鐘

西漢

雲南晋寧縣石寨山出土。

通高29-40厘米。

同出六件，形制相同，大小相次，頂部有環形鈕，腹部兩側飾左右對稱之龍紋，唇邊飾蛇紋與方格紋。

現藏雲南省博物館。

編鐘

西漢

雲南祥雲縣檢村出土。

高30厘米。

一組三件，形制相同。扁圓形體，三角形鈕，鐘面一側
陰刻兩隻孔雀，一側爲二獸搏鬥圖案。

現藏雲南省祥雲縣文物管理所。

曲管葫蘆笙

西漢

雲南江川縣李家山24號墓出土。

高28.2厘米。

同型銅笙兩件，此爲稍大的一件。兩笙主體均爲形態逼真的匏狀體。以圓壺狀的匏腹爲音斗，往上漸斂爲細長彎曲的頸管，在曲管中段上仰面設一吹孔，在音斗正面（吹孔背面）有笙笛（插入笙斗的音管）孔五個或七個，各爲橫列的兩排（上三下二、上四下三），孔間相互串通。笙笛已朽，但從管內填滿的泥土可知其原狀。在曲管上端各焊一圓雕立牛，牛豎耳昂首，形態宛肖。此種葫蘆笙仿自天然的葫蘆，是石寨山文化獨有的銅樂器。

現藏雲南省博物館。

羊角編鐘

戰國

雲南楚雄市萬家壩1號墓出土。

高15–21.9厘米。

編鐘共六件，按大小依次排列。青銅鑄製。鐘體呈上小下大的半橢圓形，橫截面呈橄欖形，兩側各有一合範綫，頂有歧出的雙角，其下有長方形豎穿孔，鐘底（于部）平齊。素面無紋。鐘音清朗，測音分析證明含有六聲或七聲音階的音素，表明其時西南地區少數民族器樂已不局限於五聲音階。

現藏雲南省博物館。

直管葫蘆笙

西漢

雲南晉寧縣石寨山出土。
高60厘米。
整體爲直柄銅勺形，柄部正面
有一圓形吹孔，背面有六方
孔，柄端鑄猛虎食牛。下段爲
圓球形，上有一大圓孔。
現藏雲南省博物館。

踞坐男俑勺形器

西漢

雲南江川縣李家山出土。
高39.5厘米。
球形勺體，一側有一圓孔。
柄實心，根部飾三角紋、點
綫紋組成的條帶一周，上端
鑄一背靠叉形板、雙手抱膝
踞坐裸體男子。
現藏雲南省博物館。

繩索紋柄劍

西漢

雲南劍川縣鰲鳳山出土。
長30.5厘米。
三角形劍身，中部起脊，後
端浮雕圓圈紋。山字形劍
格，柄部浮雕繩索紋。
現藏雲南省博物館。

獵頭紋劍

西漢

雲南江川縣李家山出土。
長28.2厘米。
直刃、寬格，圓柱形莖。
刃部後端浮雕一人，雙手
上舉，作屈膝跳躍狀。莖
部浮雕一人像，右手執
劍，左手提人頭。
現藏雲南省博物館。

寬刃劍及鞘

西漢

雲南江川縣李家山出土。

劍長28.8、格寬11.4厘米，鞘長22.8、寬14.2厘米。

劍臘短闊，曲刃，一字形劍格，表面鍍錫，鞘一次鑄成，兩側波曲，前端心形且微翹。劍莖及鞘正面飾雲雷紋。

現藏雲南省江川縣文物管理所。

蛇柄劍

西漢

雲南晋寧縣石寨山出土。

長31.5厘米。

刃部一側略成弧形，一字形劍格。蛇形柄，蛇體彎曲，張口露齒。

現藏雲南省博物館。

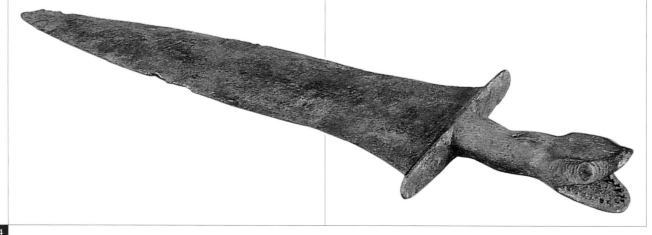

蛙形鋬鉞

西漢

長12.5厘米。

新月形直鋬鉞。銎部呈蛙形，蛙頭向銎口，
前腿成雙鈕，蛙身飾弦紋和水波紋。

現藏臺灣古越閣。

狐狸鈕鉞

西漢

雲南晋寧縣石寨山出土。

長15厘米。

弧刃，扁圓銎，銎上飾回紋、繩紋圖案。
銎側有一仰首垂尾狐狸形鈕。

現藏雲南省博物館。

人形鈕鉞

西漢
雲南晋寧縣石寨山出土。
長12.2厘米。
靴形鉞，弧刃橢圓形銎，銎上飾旋紋、弦紋及
曲綫紋，銎側有一個曲肢仰卧之人形鈕。
現藏雲南省博物館。

猴蛇鈕鉞

西漢
雲南晋寧縣石寨山出土。
長14.5厘米。
靴形鉞，扁圓銎，銎及刃部後段均
飾弦紋、圓圈紋、齒紋及斜格紋。
銎側有一猴形鈕，猴嘴銜蛇。
現藏雲南省博物館。

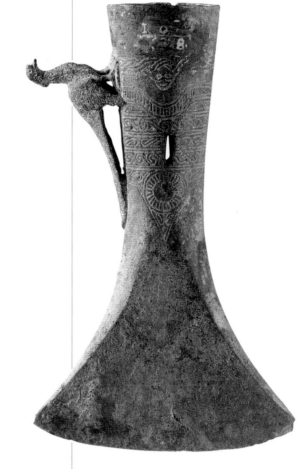

雉鈕斧

西漢

雲南晋寧縣石寨山出土。

長15厘米。

弧刃圓銎，銎部飾繩紋、雲紋、圓圈紋。

銎側鑄一仰首垂尾雉鳥。

現藏雲南省博物館。

四獸銎斧

西漢

雲南晋寧縣石寨山出土。

長17.2厘米。

弧刃圓銎，銎部飾回紋、弦紋、齒紋及
圓圈紋，背鑄四獸，皆捲尾垂首，中間
兩隻相背而坐，兩邊兩隻作行走狀。

現藏雲南省博物館。

鳥踐蛇鋬斧

西漢

雲南晉寧縣石寨山出土。

長16厘米。

鋬飾回紋、弦紋、圓圈紋，背鑄二展
翅水鳥，鳥足踐蛇，蛇頭頂住鳥腹。
斧刃呈弧形。

現藏雲南省博物館。

立鳥鈕戚

西漢

雲南江川縣李家山出土。

長122、寬22厘米。

戚刃部卵圓形，扁圓形鋬至刃部成尖鋒，後
端與實心銅柄鑄為一體。鋬側繫一銅鈴，柄
端鑄一立鳥。此選為局部。

現藏雲南省博物館。

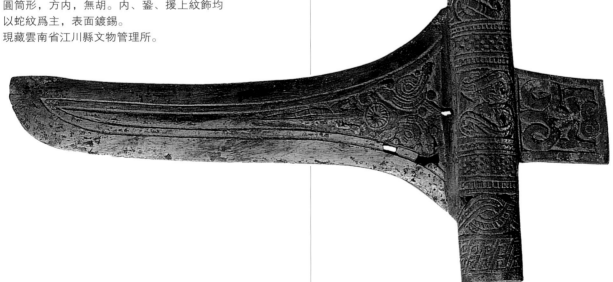

水獺捕魚銎戈

西漢

雲南晋寧縣石寨山出土。

長27厘米。

扁圓銎，上飾弦紋、動物紋、雙弦紋，
銎背鑄兩隻水獺，爭食中間之魚。三角
形援，中部起脊，近銎處飾幾何紋。

現藏雲南省博物館。

銎欄戈

西漢

雲南江川縣李家山出土。

通長27.6、銎長15.5厘米。

直援前端雙刃匯聚成鋒，後端較寬。欄呈扁
圓筒形，方内，無胡。内、銎、援上紋飾均
以蛇紋爲主，表面鍍錫。

現藏雲南省江川縣文物管理所。

豹銜鼠鐏戈

西漢

雲南晉寧縣石寨山出土。

長27厘米。

扁圓鐏，飾雙弦紋、圓圈紋等。鐏背有一立
豹，豹尾下垂、口銜一鼠。

現藏雲南省博物館。

手持劍形戈

西漢

雲南江川縣李家山出土。

通長26.4、鐏長8.6厘米。

戈做一人手反握劍形，以劍臘爲戈援，腕
部內空呈鐏狀。通體鍍錫，造型奇特。

現藏雲南省江川縣文物管理所。

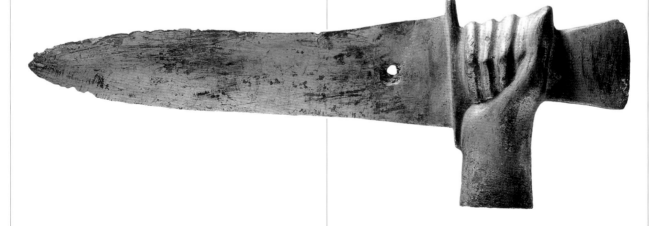

虎噬牛啄

西漢

雲南江川縣李家山出土。

通長25.2厘米。

刺細長，鋒部齊平，圓形鋬。鋬部及刺鋒後段飾菱形紋、方格紋、繩紋圖案，鋬背圓雕鑄猛虎噬牛。

現藏雲南省博物館。

牧牛啄

西漢

雲南晋寧縣石寨山出土。

長20.4厘米。

圓鋬飾弦紋、齒紋、圓圈紋，鋬背鑄一牛，牛前有一人捐物并作牽牛狀，牛後有一人趕牛，一人扛工具。

現藏雲南省博物館。

魚鷹啄

西漢

雲南晉寧縣石寨山出土。

長17厘米。

圓銎飾弦紋、圓圈紋，銎背鑄二游動狀魚鷹，一鷹垂
首，一鷹昂首銜魚。

現藏雲南省博物館。

懸俘矛（右圖）

西漢

雲南晉寧縣石寨山出土。

長30.5厘米。

三角形刃，刃部後端兩側各吊一裸體男子，雙手被反
綁，頭髮下垂，似爲受刑之戰俘。圓銎素面。

現藏雲南省博物館。

蟾蜍紋矛

西漢

雲南晉寧縣石寨山出土。

長17厘米。

桃形矛葉，圓銎，刃部後端及銎上鑄一浮雕蟾蜍，後肢
作跳躍狀，前肢彎曲成二環鈕。

現藏雲南省博物館。

豹鈕矛

西漢

雲南晉寧縣石寨山出土。

長17.9、寬7.1厘米。

樹葉狀刃，橢圓形銎，銎飾弦紋、繩紋及弦紋。銎側鑄
一昂首翹尾之豹，豹身滿飾圓圈紋。

現藏雲南省博物館。

鳥鈕矛

西漢
雲南江川縣李家山出土。
長18.2、寬9.3厘米。
闊葉狀寬刃，鋬口凹形，飾弦紋、
回紋及曲綫紋。鋬側鑄一鳥形鈕。
現藏雲南省博物館。

矛頭狼牙棒

西漢
雲南江川縣李家山出土。
通長32、矛長12厘米。
八棱形棒，其上整齊排列
錐刺。棒端有一圓形座，
上接一矛頭。圓鋬。
現藏雲南省博物館。

蛇頭紋叉

西漢

雲南晉寧縣石寨山出土。

長30厘米。

長方形刃，前鋒分杈作魚尾狀。圓形銎，銎背飾浮雕蛇頭，蛇張口鼓目，背有鱗片。

現藏雲南省博物館。

反轉雲紋箭箙

西漢

雲南江川縣李家山出土。

通高48.2、寬11厘米。

長方扁平形器，有蓋。正面以孔雀石小珠鑲嵌成反轉雲紋及竹節紋圖案，背面素面，有一方孔，內裝殘箭杆及銅鏃。

現藏雲南省博物館。

獸紋臂甲

西漢

雲南江川縣李家山出土。

通高21.7厘米。

上粗下細圓筒形器，背面有開口、口沿處有對稱穿孔兩列。甲面陰刻虎、豹、熊、鹿、猪、鷄、魚、蝦等動物花紋十餘種，纖細精美，綫條流暢。

現藏雲南省博物館。

蛇頭形銎鏟

西漢

雲南江川縣李家山出土。

長20.8、寬10.4厘米。

長方形體，前鋒齊平，中部起蛇頭形銎，下分三棱直達鋤刃。蛇口張開以納柄，蛇眼、牙、鱗等刻劃精緻。通體鍍錫。

現藏雲南省江川縣文物管理所。

梯形鋤

西漢

雲南江川縣李家山出土。

長21.8、寬20.8厘米。

刃部平齊，兩側呈階梯狀上收。

中部起方形銎，銎上飾雷紋。器

表鍍錫。

現藏雲南省江川縣文物管理所。

尖葉形鋤

西漢

雲南江川縣李家山出土。

長30.5、寬23.4厘米。

尖葉形鋤，中部起三角形銎，上

沿及銎兩側飾雷紋，器表鍍錫。

現藏雲南省江川縣文物管理所。

孔雀紋鋤

西漢

雲南晉寧縣石寨山出土。

長28.5、寬20.5厘米。

尖葉形器，中部起三角形銎。銎飾雲紋、弦紋，兩側各刻一揚尾走動狀孔雀。

現藏雲南省博物館。

鎏金帶鈎

西漢

雲南晉寧縣石寨山出土。

長11.7厘米。

三螭盤繞組成鈎身，最大一螭螭首彎捲成爲鈎頭。背面有圓鈕。通體鎏金。

現藏雲南省博物館。

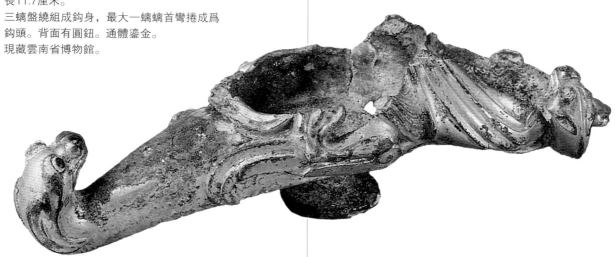

牛頭扣飾

西漢

雲南晋寧縣石寨山出土。

高9厘米。

整體爲一牛頭形。牛頭兩
角各卧一小牛，額上部另
鑄一牛頭，頰兩側各有一
蛇盤繞，蛇口咬住牛耳。
背面有矩形扣。

現藏雲南省博物館。

三孔雀扣飾

西漢

雲南晋寧縣石寨山出土。

高11.5、寬15.5厘米。

中間一孔雀展翅欲飛，左右兩孔雀相背而立，
均仰首向天。下有糾纏蛇、魚各兩條。

現藏雲南省博物館。

水鳥捕魚扣飾

西漢

雲南晉寧縣石寨山出土。

高6.3、寬8.5厘米。

一水鳥蹲踞，長嘴銜一魚，鳥爪踩住
魚背。水鳥雙目與雙翅均鑲嵌孔雀石
與瑪瑙珠。背面有矩形扣。

現藏雲南省博物館。

鎏金殺掠扣飾

秦漢

雲南晉寧縣石寨山出土。

高9、寬15.1厘米。

扣飾通體鎏金，背面有挂鈎，造型爲透空的殺掠場
面：兩個帶甲武士正一前一後押解着劫掠的牛羊、婦
孺得意而歸，其中一個武士左手提一首級，右手握繩
牽着捆着的婦女，婦女還背負一幼兒；另一武士右手
執短戈，左手提着剛割下的首級，足眯在尸體上，驅
趕着一頭牛和兩頭羊。扣飾下方以倒下的尸體和盤曲
的蟒蛇相聯繫。此扣飾是當時西南地區古族間戰爭和
殺掠場面的生動體現。

現藏雲南省博物館。

四人縛牛扣飾
西漢
雲南江川縣李家山出土。
高6、寬12厘米。
一牛被縛于一銅柱之上，牛角倒懸一幼童。一人挽牛
尾，一人緊拉牛頸之繩，一人被牛踏翻于地，一人于柱
後緊拉縛牛之繩。其下二蛇纏繞，一蛇咬住縛牛之繩，
一蛇頭上蹲坐一蛙。
現藏雲南省博物館。

剽牛祭柱扣飾
西漢
雲南江川縣李家山出土。
高10.1、寬13.3厘米。
一剽牛柱旁有十一人拼力制服一頭悍牛，準備剽殺。人
物均束高髻，着對襟無袖上衣，腰束帶，臂佩釧，跣
足，牛頸部套繩纏于柱上，柱頂立一牛形飾。
現藏雲南省江川縣文物管理所。

八人獵虎扣飾

西漢

雲南晉寧縣石寨山出土。

高11.5、寬13厘米。

八名獵手共獵一虎，六人持矛刺虎，一人持物立於虎
旁，一人被虎撲倒於地，但仍以劍刺入虎頭。二獵犬亦
撕咬虎身。背面有矩形扣。

現藏雲南省博物館。

二騎士獵鹿扣飾

西漢

雲南江川縣李家山出土。

高12、寬12.5厘米。

二獵手騎馬揮矛刺中馬前二鹿，一鹿
被刺倒地，獵犬撲向鹿身，下有一蛇
口咬馬尾，尾纏獵犬之後腿。背面有
矩形扣。

現藏雲南省博物館。

二人獵猪扣飾

西漢

雲南江川縣李家山出土。

高6.5、寬12.3厘米。

野猪口咬一獵人腰部，獵人行將倒地，前有一獵犬驚恐
欲逃。一獵人持劍猛刺野猪臀部，一獵犬撕咬野猪之
腰。下有一蛇、口咬獵犬前足，尾纏野猪後腿。背有矩
形扣。

現藏雲南省博物館。

二豹噬猪扣飾

西漢

雲南晉寧縣石寨山出土。

高12、寬17.3厘米。

二豹與一野猪相搏。一豹撲于猪背，張口欲噬。另一豹
伏于猪腹之下，四爪抓猪腹、口咬其後腿。野猪口咬豹
尾。下有一蛇，與猪、豹相纏繞。背面有矩形扣。

現藏雲南省博物館。

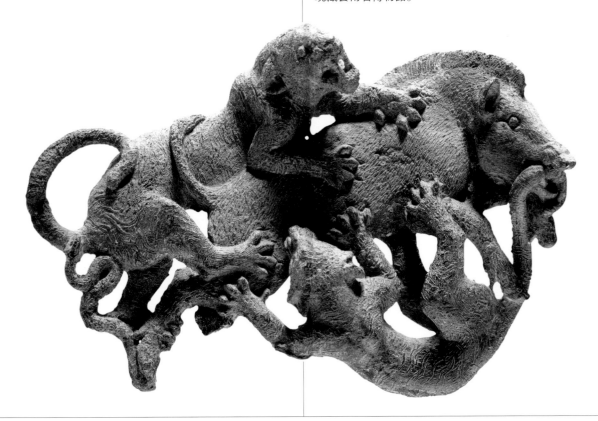

虎噬牛扣飾

西漢

雲南晋寧縣石寨山出土。

高8.3、寬15.5厘米。

一猛虎撲于牛背之上，兩前爪緊抱牛腹、口噬牛背，左後爪抓住牛腿，右後爪蹬地。下有二蛇，一蛇尾繞于牛腿，一蛇繞住虎腿。背有矩形扣。

現藏雲南省博物館。

虎噬豬扣飾

西漢

雲南江川縣李家山出土。

高5、寬7.7厘米。

野豬作猛奔狀，一猛虎已撲住其背部，撕咬其肩。下有一蛇，口咬野豬前腿，尾纏虎腿。

現藏雲南省博物館。

二狼噬鹿扣飾

西漢

雲南晉寧縣石寨山出土。

高12.7、寬16.7厘米。

二狼噬鹿，其中一狼踞于鹿背、口噬鹿耳，
另一狼伏于鹿腹之下，噬其後腿。鹿前足騰
空，蹲地哀鳴。下有一蛇、口咬鹿尾，尾纏
狼腿。背有矩形扣。

現藏雲南省博物館。

鎏金盤舞扣飾

西漢

雲南晉寧縣石寨山13號墓出土。

高12、寬18.5厘米。

透空圓雕製品，鑄作精細，人物形象生動逼
真。舞者爲二男子，深目高鼻，腦後各挽
一小髻，着左衽緊身長袖衣，束腰，緊身
長褲長及足面，上有捲紋，跣足。腰左佩
長劍（長度超過滇文化其它劍類），劍以
帶負于右肩。兩臂伸展，雙手各持一鈸，
足踏于一蜿蜒曲折的長蛇身上，昂首弓腰
曲膝，邊歌邊舞，動作酣暢、奔放、優
美，節奏强烈，氣氛歡快。扣飾塑造的是
樂工在爲"滇"人表演歌舞的形象。

現藏雲南省博物館。

鎏金透空歌舞方扣飾

西漢

雲南晋寧縣石寨山出土。

長13、寬9.5厘米。

大致成長方形，扣飾以田字形方框爲構架，背部有矩形挂鈎，正面紋樣以透空的立體歌者爲主題，表面通體鎏金。歌者八人分上、下兩層跪坐排列，上層四人除一人作單手揮舞狀外，其餘三人均舉雙手而歌；下層四人或舉勺，或捧壺，或抱淳于而歌，或執笙而吹奏；所有人均作對襟短衣，腹部有圓形飾件，旁邊放有小壺，其中下層左側二人間還有一盆。該扣飾的整體造型雖稍嫌呆板，但個體人物却刻劃細膩，是瞭解石寨山文化的風俗很好材料。

現藏雲南省博物館。

長方形鬥牛扣飾

西漢

雲南晋寧縣石寨山出土。

長9.5、寬5.5厘米。

分上中下三層。上層十人雙手撫膝踞坐，作觀望狀。中層九人，中部一人彎腰開下層之門，兩側各有四人踞坐。下層中部爲一打開之門，一巨角之牛衝入場內，兩側各有四人撫膝踞坐。

現藏雲南省博物館。

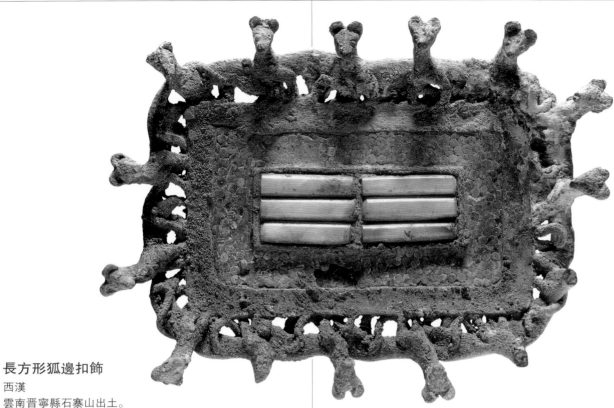

長方形狐邊扣飾

西漢

雲南晉寧縣石寨山出土。

長15.2、寬11.3厘米。

長方形扣飾，周緣浮雕十五隻昂首狐狸。正中爲一長方形框，內鑲玉管六支，周圍嵌綠松石小珠一周。

現藏雲南省博物館。

踏歌圓扣飾

西漢

雲南江川縣李家山出土。

直徑7.1厘米。

由中央的圓餅、透空的主紋帶和寬平的外緣三部分組成。扣飾背面有矩形掛鈎，正面中心嵌綠色玉珠爲圓心，周圍及外緣貼三周綠松石小圓圈，內外圈之間以透空的十八個踏歌者相聯繫。踏歌者手挽手作向心排列，沿順時針方向轉動，使人聯想起中國西南許多數民族圍繞篝火，手臂相連，踏地爲節而歌的場景。

現藏雲南省博物館。

群猴環繞圓扣飾

西漢

雲南省晉寧縣石寨山出土。

直徑13.5厘米。

大致成圓形，它由內外兩部分組成，背面有矩形挂鈎。內圈爲銅鏡形圓板，圓板中心嵌紅色瑪瑙爲乳釘，其外以弦紋兩道分爲三區，內區以漆繪八道光芒，其餘部分粘貼綠松石圓片，其外有凸起的邊緣。外圈爲透空的十隻通體鎏金的猴子，猴子首尾相接，以長尾相互纏繞，生動而滑稽。

現藏雲南省博物館。

圓形牛邊扣飾

西漢

雲南晉寧縣石寨山出土。

直徑13厘米。

圓形扣飾，周邊浮雕十二隻首尾相接之小牛。正面中心鑲嵌一紅色瑪瑙珠，周圍鑲嵌綠松石小珠。背面素面，有一矩形扣。

現藏雲南省博物館。

圓形牛頭扣飾
西漢

雲南晉寧縣石寨山出土。

直徑13.8厘米。

正面中心圓雕一牛頭，周圍鑲嵌孔雀石小珠。邊緣爲凸起條帶，内飾鋸齒紋。背面有矩形扣。

現藏雲南省博物館。

神面紋扣飾
西漢

雲南曲靖市珠街八塔臺219號墓出土。

直徑11.5厘米。

扣面中心爲圓形的神面紋，其外有圖案化的心形共首雙身蛇首紋，其間以鋸齒紋、圓圈紋、捲雲紋帶爲間隔，邊緣爲圓圈紋和三角齒紋。背面有鳥喙形齒扣。

現藏雲南省博物館。

圓形鑲嵌雲紋扣飾

西漢

雲南晋寧縣石寨山出土。

直徑17.5厘米。

正面中心鑲嵌一白色瑪瑙珠，外鑲孔雀石小珠及瑪瑙環，再外層以孔雀石小珠鑲嵌成捲雲紋，間飾白色瑪瑙珠。背面有矩形扣。

現藏雲南省博物館。

女俑杖頭（右圖）

西漢

雲南江川縣李家山出土。

高18厘米。

一婦女跪坐于圓形座上，下有圓銎以裝柄。婦女長髮披于後背，佩大耳環，着對襟上衣，下身穿短裙，左手撫于胸前，右手下垂。

現藏雲南省博物館。

舞俑杖頭

西漢

雲南晋寧縣石寨山出土。

高7.3厘米。

一婦女頭挽高髻，穿對襟長衣，雙手前伸作舞蹈狀，立于一圓形座上，下有圓銎。

現藏雲南省博物館。

立兔杖頭

西漢

雲南晋寧縣石寨山出土。

高10.7厘米。

一兔仰首竪耳，前肢直立，後腿下蹲，立于一銅鼓形座上，座下接有圓銎。

現藏雲南省博物館。

秦至三國（公元前二二一年至公元二六五年）

孔雀杖頭（右圖）

西漢

雲南晉寧縣石寨山出土。

高10.5厘米。

一孔雀昂首翹尾，臥于一銅鼓形座上，頸
及胸部飾羽翎紋。銅鼓形座中空爲銎。

現藏雲南省博物館。

魚形杖頭

西漢

雲南晉寧縣石寨山出土。

高7、寬17.5厘米。

雙目圓睜，魚鰭、魚鱗刻劃精細。魚腹下
有圓形銎，銎內殘留有木柄。

現藏雲南省博物館。

立鹿針筒

西漢

雲南江川縣李家山出土。

高27.5、蓋徑2.7厘米。

圓筒形器，通體遍布蛇紋。蓋頂鑄一立鹿，

側首張望。蓋與器身對置環耳。

現藏雲南省博物館。

孔雀銜蛇紋錐

西漢

雲南江川縣李家山出土。

高13.8厘米。

錐刺細長，與實心球形柄鑄爲一

體，柄部陰刻孔雀銜蛇圖案。

現藏雲南省博物館。

猛虎噬牛枕

西漢

雲南江川縣李家山17號墓出土。

高15.5、長50.3、寬10.6厘米。

枕呈長條馬鞍形，中部弧平，兩端上翹。端頂各鑄一圓雕立牛；背面飾勾連雷紋圖案；正面以雙旋紋爲地，浮雕猛虎噬牛圖像三組，三隻猛虎撲抱在三頭牛背上，將虎的强悍凶猛和牛的痛苦挣扎刻劃得淋漓盡致，與枕兩端的安詳悠閑的立牛形成鮮明的對比。

現藏雲南省博物館。

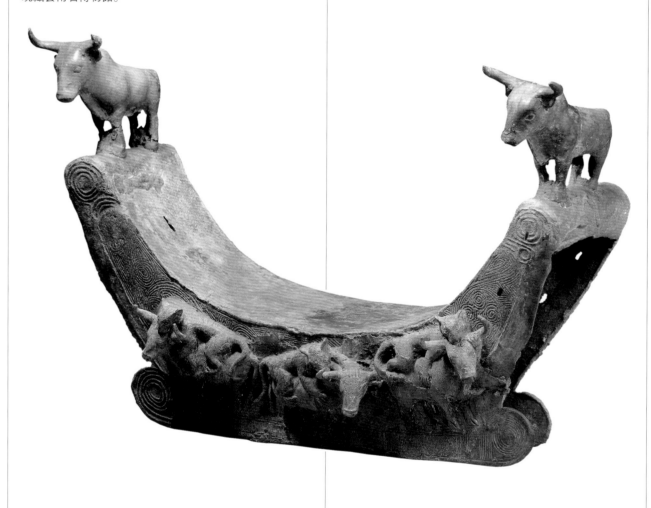

執傘男俑

西漢
雲南江川縣李家山出土。
高65.6厘米。
男俑頭挽高髻，耳佩大環，頸戴串珠項鏈，衣袖及肘，
左胯佩劍，披氈，束扎腰帶，小臂佩釧，跣足，跪坐于
一素面銅鼓之上。雙手執傘，傘已脱落。
現藏雲南省江川縣文物管理所。

執傘男俑

西漢
雲南晋寧縣石寨山出土。
通高50厘米。
男俑跪坐，頭頂椎髻，身披巾，腰繫圓形
飾物。雙手執一銅傘，傘周沿繫小鈴。
現藏雲南省博物館。

秦至三國（公元前二二一年至公元二六五年）

執傘男俑

西漢

雲南晉寧縣石寨山出土。

高43厘米。

男俑蹲坐，頭挽高髻，身披巾，束帶着裙，腰繫圓形飾。雙手執傘，傘已脫落。

現藏雲南省博物館。

執傘女俑

西漢

雲南晉寧縣石寨山出土。

高46.5厘米。

女俑跪坐，肩披銀錠形髮髻，着寬袖對襟長衣，袖上滿飾紋飾。雙手執傘，傘已脫落。

現藏雲南省博物館。

動物紋棺

西漢

雲南祥雲縣大波那出土。

高82、寬62、長200厘米。

銅棺作干欄式屋形，全棺由棺底、四壁、兩坡共七塊構件拼合而成。底板四周刻凹槽以固定四壁，脚柱從凹槽內的十二個長方孔內穿出，然後在柱頂插橫銷以托起棺底。頂作兩面坡狀，屋脊長于屋檐，與石寨山儲貝器所見房屋形狀相同。在屋面兩端，有七根檁子伸出；在屋脊兩端，有鴟尾狀脊飾。棺的前後檐墙上鑄雲雷紋；兩山墙鑄虎、鹿、豬、鷹、燕等動物紋；屋頂鑄葉脉主紋，其內填以雲雷紋。所有紋飾均以細陽綫構成，風格與石寨山文化其它銅器紋飾同。

現藏雲南省博物館。

動物紋棺山墻

牲畜圈欄模型

西漢

雲南晉寧縣石寨山出土。

高11.2、寬17厘米。

干欄式建築，數根立柱承托一平臺，平臺中央有一房屋，懸山式頂，前、左、右三壁有墻板，前、右墻各開一小窗，前窗内供一人頭。屋前有廊，廊間有人物或坐或立，并有一人吹葫蘆笙，其間置銅鼓數面。臺前正中有一梯，梯上端接屋檐，下端着地，梯上浮雕一蛇。平臺下梯兩側有數人勞作，并鑄牛、羊、猪、牛等動物。現藏雲南省博物館。

祠廟祭祀模型

西漢

雲南晋寧縣石寨山出土。

高11.5、寬12.5厘米。

干欄式建築，立體爲一方形平臺，下有若干承柱。平臺
正面稍後有一房屋，懸山式頂，屋脊之山尖高翹斜出，
左山尖下有一小凉臺。平臺後端有一長方形小平臺，上
有一四柱凉亭。右側有一敞棚，敞棚前有一小棚。正屋
山尖凉臺上坐二婦女。屋内有一小龕，内供一人頭，其
前有多人祭禮。房屋下層立一馬，馬前有一人吹葫蘆
笙，另二人撫其背。平臺之下有牛、馬、猪等家畜。
現藏雲南省博物館。

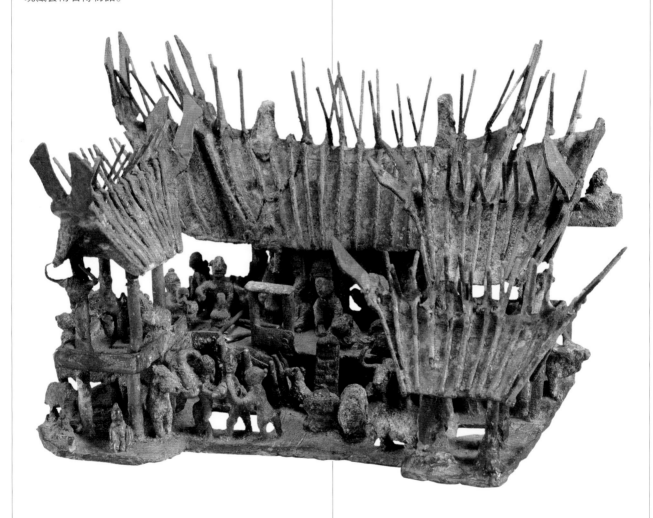

祠廟祭祀模型

西漢

雲南晋寧縣石寨山出土。

高9、寬12厘米。

干欄式建築，數根立柱承托一平臺，平臺上有一長方形房屋，懸山式頂，左、右、前三壁有墙板，前壁墙板

開一小窗，内供一人頭。屋左右兩端各立一圓柱，上懸牛頭。屋前有廊，上鑄一群人物祭祀、舞蹈，廊側欄杆上置猪腿等食品。平臺正中置一梯，梯下左側有人物勞作，右側鑄牛、馬及一席地而坐之人物。

現藏雲南省博物館。

祠廟祭祀模型背面

立牛

西漢

雲南晋寧縣石寨山出土。

高17厘米。

牛昂首佇立，脊項有高封，頸肌下
垂，尾夾于兩股之間。

現藏雲南省博物館。

立鹿

西漢

雲南晋寧縣石寨山出土。

高16、寬12.5厘米。

鹿昂首捲尾，佇立凝視，四足端爲尖形。

現藏雲南省博物館。

孔雀（右圖）

西漢

雲南晋寧縣石寨山出土。

高13.9厘米。

孔雀昂首挺立，雙足并攏，雙翅合攏于腹部，短尾，屬雌性。

現藏雲南省博物館。

鴛鴦

西漢

雲南晋寧縣石寨山出土。

高11、寬17厘米。

鴛鴦作游弋狀，雙翅上翹，短尾，身上有四蛇盤繞。

現藏雲南省博物館。

圈足釜

西漢

内蒙古鄂爾多斯市徵集。

高15.8厘米。

斂口，球形腹，鏤空喇叭形圈足、口沿
附扁平方形耳。頸部凸飾雙綫幾何紋。

現藏内蒙古自治區文物考古研究所。

龍頭竈

西漢

内蒙古鄂爾多斯市東勝漫賴鄉出土。

高19、長27厘米。

竈前有長方形竈門，後有龍頭型烟筒，竈底有四蹄足。

現藏内蒙古自治區文物考古研究所。

中陽銅漏

西漢

內蒙古杭錦旗出土。

高32.5厘米。

計時用器。直筒形身，三蹄形矮足，下腹一側細流。蓋上有"冃"形提梁。外腹刻銘一行，記其爲河平二年（公元27年）四月造。

現藏內蒙古自治區文物考古研究所。

四繫鈕扁壺

西漢

內蒙古準格爾旗秦漢廣衍故城出土。

高48、口徑5.3厘米。

小口，正面鼓腹，背面扁平，肩腹有四繫鈕，便于携帶。

現藏內蒙古自治區文物考古研究所。

牛首紋帶鐍

西漢

內蒙古鄂爾多斯市徵集。

長7.9厘米。

整體近橢圓形，一邊直邊。透雕牛首紋，
牛角上彎構成扣環，環上扣鈎向外斜突。
直邊一端爲扣鈕，上有二穿孔。
現藏內蒙古自治區文物考古研究所。

鎏金神馬紋牌飾

西漢

內蒙古呼倫貝爾市出土。

長10.4、寬6.5厘米。

馬作奔馳狀，有翅，鼻端有角。
現藏內蒙古自治區文物考古研究所。

鎏金神獸紋牌飾

西漢

吉林榆樹市老河村53號出土。

長11.2、寬7.2厘米。

帶鐍長方形。青銅鑄造，器表通體鎏金，前後端各有一圓形穿孔，背面後端孔上還有一橫梁，當爲穿帶之用。器面鑄出浮雕狀神獸，獸的四周牌面凸凹不平，好似翻動的雲水。神獸肩生雙翅，如同漢唐石刻中的天馬；嘴部一角上翹，又形似現存于南亞的犀牛。該神獸的形象在鮮卑墓葬帶鐍上常見，應當就是《魏書·帝紀·序紀》"有神獸其形似馬，其聲類牛，先行導引，歷年乃出"的神獸。

現藏吉林省博物院。

騎士行獵紋帶飾

西漢

遼寧西豐縣西岔溝出土。

長11.2、寬8.5厘米。

整體近橢圓形，透雕騎士行獵紋。二武士騎馬佩劍，左手持繮，右臂架鷹，相顧而行。

現藏遼寧省博物館。

透雕劫掠紋帶頭

西漢

寧夏同心縣王團鄉倒墩子10號墓出土。

長10.7、寬4.7－6.8厘米。

其圖案以一枝幹彎曲的大樹爲背景，樹木茂盛的枝葉和
大地構成了帶頭的邊框，框內以類似雕刻中的透雕手法
鑄出劫掠的圖案：一位匈奴騎士驅馬衝向一輛架牲的雙
輪輜重車，騎士一手執劍，另一手抓住一人的頭髮，隨
同騎士的一隻猛犬也撲向此人，另一犬躍于車上。

現藏寧夏回族自治州同心縣文物管理所。

駝虎咬鬥紋牌飾

西漢

内蒙古巴林左旗出土。

長12.5厘米。

駝俯首咬虎腿，虎咬駝頸。

現藏内蒙古自治區文物考古研究所。

伫立馬形飾

西漢

寧夏同心縣倒墩子匈奴墓出土。

長4.3、寬3.2厘米。

透雕伫立狀馬，馬低頭食草，造型樸拙却不失生動。

現藏寧夏回族自治區同心縣文物管理所。

雙駝紋帶飾

西漢

寧夏同心縣倒墩子匈奴墓出土。

長10.2、寬5.5厘米。

長方形器，邊框内透雕雙駝圖案，中間飾枝葉與獸首圖案。

現藏寧夏回族自治區同心縣文物管理所。

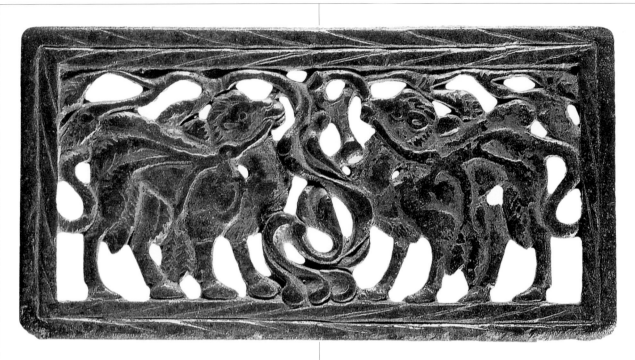

鎏金雙駝紋帶飾

西漢

遼寧西豐縣西岔溝出土。

長9.5、寬4.8厘米。

長方形器，邊框飾葉脉紋，其内透雕
雙駝。二駝相向，口銜枝條。

現藏遼寧省博物館。

雙牛紋帶飾

西漢

遼寧西豐縣西岔溝出土。

長14.8、寬7厘米。

長方形器，竹節狀邊框，内透雕相向雙牛，牛身
裝飾葉狀紋。邊框一端有橢圓形鏤孔和扣針。

現藏遼寧省博物館。

雙龍紋帶飾

西漢

寧夏同心縣倒墩子匈奴墓出土。

長12.2、寬5.9厘米。

長方形器，邊框飾方形凹窩，內透雕
回首糾結雙龍紋。一側邊有鏤孔。

現藏寧夏回族自治區同心縣文物管理所。

幾何紋帶飾

西漢

寧夏同心縣倒墩子匈奴墓出土。

長11.2、寬5.6厘米。

長方形器，邊框飾葉脉紋，框內透雕
幾何紋。一側邊有一凸鈕。

現藏寧夏回族自治區同心縣文物管理所。

卧羊紋牌飾

西漢

高5、寬6.2厘米。

羊頭爲正面形，羊身作側卧狀，四肢内屈。

現藏内蒙古博物院。

四驢紋牌飾

西漢

内蒙古鄂爾多斯市徵集。

長14.7厘米。

長方形邊框内四驢作跪卧回首狀。

現藏内蒙古自治區文物考古研究所。

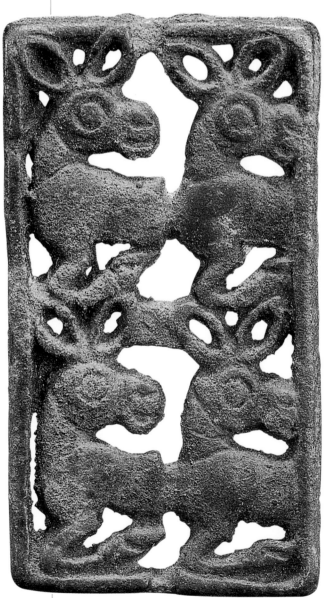

雙耳銅釜

南北朝

內蒙古和林格爾縣另皮窯村出土。

高51.7、口徑35.2、腹徑44厘米。

斂口，球形腹，小平底，喇叭形圈足
大部殘損。雙環形立耳，耳上有蘑菇
狀裝飾。

現藏內蒙古自治區文物考古研究所。

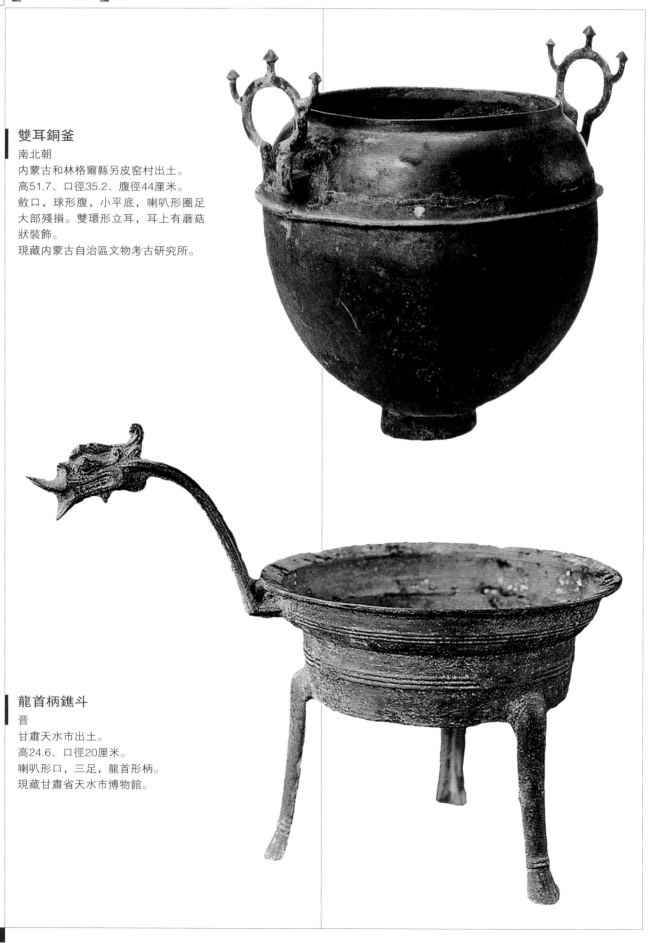

龍首柄鐎斗

晉

甘肅天水市出土。

高24.6、口徑20厘米。

喇叭形口，三足，龍首形柄。

現藏甘肅省天水市博物館。

銅鈁

北朝·北魏

寧夏固原市東郊鄉雷祖廟村北魏墓出土

高16.5厘米。

細頸鼓腹，肩兩側對置橋鈕銜環。通體素面。

現藏寧夏回族自治區固原博物館。

銅壺

北朝·北魏

寧夏固原市東郊鄉雷祖廟村北魏墓出土。

高15.5、口徑6.5厘米。

侈口，束頸，鼓腹，圈足。腹兩側對置獸首銜環。

蓋頂有橋形鈕，通體素面。

現藏寧夏回族自治區固原博物館。

鎏金花葉鳥魚紋鎮

南朝

廣東遂溪縣附城鎮邊灣村窖藏出土。

高7.3、口徑8.2厘米。

形態好似窩頭，頂部尖圓，下端平齊，器內中空。通體鎏金，鏨刻垂瓣紋、花枝紋、魚紋等圖案。器形狀大小與鎮相似，內部空腔應是爲了灌注加重的鉛錫。

現藏廣東省博物館。

虎子

十六國·北燕

遼寧北票市西官營子馮素弗墓出土。

高24、長38厘米。

伏虎形器，四足伏地，虎尾上揚，頭與四肢鑄出花紋，頸、背、胸、尾又以細綫刻劃毛、鬚。

現藏遼寧省博物館。

柿蒂佛像八鳳紋鏡
西晉

直徑16.3厘米。

半球鈕，平直寬素緣。寬大的柿蒂紋將鏡背分成四區，柿蒂間的每區有兩隻相對的鳳鳥，鳳鳥振翅翹尾。柿蒂中都有佛像，三瓣各有一尊坐像，坐佛均有圓形頂光，結迦趺坐于龍、虎蓮座上。另一瓣中有三尊像，居中主像頭有頂光，側坐于蓮花座上，手托面部，作半跏思維態；兩脅侍一跪一立，頭上均無頂光。近鏡緣處有內向十六聯弧圈，每個弧內分別有龍、鳳或虎等圖像，皆作奔馳狀。

現藏中國國家博物館。

十二生肖四神紋鏡
北朝

河南洛陽市龐家溝出土。

直徑16.9厘米。

圓形鈕。內區飾浮雕青龍、白虎、朱雀、玄武四神，外區在雙綫界格內環雕十二生肖，外飾鋸齒紋。

現藏河南省洛陽博物館。

[青銅器]

西晉至五代十國（公元二六五年至公元九六○年）

鎏金九子神獸紋鏡

南朝

湖北鄂州市五四四工地出土。

直徑13.6厘米。

圓鈕，飾錯金獸紋。內區飾東王公、西王母及神獸紋，外有方枚與半圓弧相間排列，方枚上有銘文。外區飾神人神獸紋帶，緣飾雲紋。鏡背鎏金。

現藏湖北省博物館。

木芯鎏金銅片馬鐙

十六國‧北燕
遼寧北票市馮素弗墓出土。
通長24.5、24.7厘米，寬16.8厘米。
同出兩件。木芯外包以銅片，以釘鉚合。銅片通體鎏金。
現藏遼寧省博物館。

鎏金馬鞍橋護片

十六國‧前燕
遼寧北票市喇嘛洞出土。
高28厘米。
此護片爲鏤孔鏨花，紋飾爲在每一龜甲紋單元内鏨出
鳳、鹿、龍等動物形象。

西晉至五代十國（公元二六五年至公元九六○年）

牛車

北朝

高23.5、長42厘米。

由黃牛、軛、長轅雙輪車廂組合而成。黃牛頭套絡具，
項上有軛，軛兩側以環扣接車轅。車廂長方形，前廂板
鑄出窗格，後部開門。覆篷式廂頂，前後出檐。
現藏廣東省深圳市博物館。

鎏金龍首杆頭（右圖）

十六國・北燕

遼寧北票市西官營子馮素弗墓出土。

高17.5厘米。

此件為儀仗杆頭，套在長杆之頂，供挂旌幡之用。
現藏遼寧省博物館。

烏龜

魏晉

甘肅敦煌市七里墩出土。

長38.5厘米。

龜昂首引頸，作爬行狀，雙目平視、口微張，兩後足用
力蹬地，矛形短尾。背甲飾長方形、三角形雷紋。同出
四件，大小相同，爲支墊棺柩之用。

現藏甘肅省博物館。

鵲尾行香爐

唐

長39.2厘米。

爐身作寬緣杯形，爐口內置香盂，香盂口沿有環鈕，杯
下有寬大的瓜棱瓣圓臺。爐身後接直長柄，柄寬扁，其
上近爐身處裝三幅捲雲紋飾片，柄尾端下折外轉成半圓
形臺，臺上蹲坐一立體的小獅子。

現藏北京市保利藝術博物館。

雙龍耳盤口壺

唐

通高44.5、口徑10.8厘米。

自肩部至器口對置雙龍耳，龍口銜壺沿，龍足立于器肩。

現藏北京市保利藝術博物館。

人面紋壺

唐

陝西西安市臨潼區新豐鎮出土。

高29.5厘米。

壺腹飾六人面，皆高鼻深目，爲當時北印度風格的作品。

現藏陝西省臨潼博物館。

塔頂豆式盒
唐

高11.2-16.2、腹徑7.1-9.5厘米。
佛教供器。由頂、腹、器座三部分組成。蓋頂均爲圓柱
塔刹形，兩件爲五重相輪，另兩件爲七重相輪。子母
口，球形腹，喇叭形器座。
現藏北京市保利藝術博物館。

淮南起照神獸紋鏡
隋

陝西永壽縣出土。
直徑25厘米。
半球形鈕，八角形鈕座。間
飾渦紋與方枚，方枚各鐫一
字。內區飾東王公、西王
母、四神及神獸紋。外區鑄
銘文一周及十二生肖等圖
案。外緣飾纏枝紋。
現藏陝西歷史博物館。

賞得秦王神獸紋鏡

隋

陝西西安市長安區南里王
村出土。

直徑12厘米。

圓鈕。周圍浮雕四神獸，
并間飾雲紋。外區有銘文
一周二十字。

現藏陝西省考古研究院。

仙山并照四神紋鏡

隋

湖南長沙市出土。

直徑22厘米。

圓形鈕。浮雕獸紋方形鈕
座。四角與"V"形紋相
對，將紋飾分爲四區，四
區內分置四靈，"V"形紋
內浮雕獸面。中區有銘文
一周三十二字。外區環繞
十二生肖。

現藏湖南省博物館。

靈山孕寶團花紋鏡

隋

陝西西安市出土。

直徑18.1厘米。

圓鈕，聯珠紋鈕座。內區飾團花六朵，間飾忍冬紋。外區有銘文一周。外緣飾鋸齒紋。

現藏陝西歷史博物館。

神獸仙禽花草紋鏡

唐

直徑20.4厘米。

半球形圓鈕。紋飾分內外區：內區飾鸞鳥、蟠龍、鳳凰、麒麟，間飾花草；外區飾花草與鳥雀各六隻，相間排列。鏡緣有銘文一周三十二字，前面楷書字句是："鑒若止水，光如電耀。仙客來磨，靈妃往照。鸞翔鳳舞，龍騰鱗跳。"最後兩句八字不清。

現藏日本千石唯司。

西晉至五代十國（公元二六五年至公元九六〇年）

狻猊葡萄紋鏡

唐

河南陝縣出土。

直徑21厘米。

伏獸形鈕。內區飾狻猊和纏枝花紋，外區飾鳥雀、蝴蝶、狻猊，并配以纏枝葡萄紋。外緣飾重瓣花紋一周。

現藏中國國家博物館。

鳥獸葡萄紋鏡

唐

直徑15.1厘米。

內區浮雕六隻瑞獸奔躍于葡萄枝蔓間，外區在葡萄枝葉和果實間置十二隻禽鳥。邊緣飾葡萄葉紋。

現藏北京大學賽克勒考古與藝術博物館。

蟠龍紋葵花鏡

唐

直徑27.4厘米。

半球形小圓鈕，八瓣葵花鏡緣。鈕周盤繞一條右旋的龍紋，龍的頭和四爪爲光面淺浮雕，身軀鱗甲爲陽綫淺浮雕，二者的表現方式形成鮮明對照。

現藏日本私人處。

寶相花紋葵花鏡
唐
陝西西安市出土。
直徑20.5厘米。
半球形圓鈕，蓮花形鈕座，八
瓣葵花形鏡緣。主紋區內飾連
枝葉紋一周，外飾寶相花八
朵。花紋以粗綫勾勒邊緣，以
細綫渲染，別有趣味。
現藏陝西歷史博物館。

吹笙引鳳紋葵花鏡
唐
河南洛陽市出土。
直徑12.9厘米。
圓鈕。鈕左側浮雕子喬吹笙，
右側一鳳鳥展翅飛至，上飾竹
木，下爲山嶺。
現藏河南省洛陽市文物工作隊。

飛天山岳紋葵花鏡

唐

陝西西安市出土。

直徑25.3厘米。

半球形圓鈕，八瓣葵花邊緣。鈕左右爲浮雕淺刻的飛天，上下各爲陽綫的山岳。兩個飛天的衣裙和足下雲氣綫條流暢，相對共捧一朵四瓣花；下方山岳草木葱蘢，上方山岳雲氣繚繞，具有人間天上的分別。

現藏中國國家博物館。

雙鵲銜綬紋葵花鏡

唐

四川平武縣城隍廟出土。

直徑15.2厘米。

圓鈕。左右對置銜綬飛翔鵲鳥，上方爲月宮，下爲蛟龍出海圖，月宮內有桂樹、蟾蜍、玉兔搗藥。

現藏四川博物院。

高士引鶴紋葵花鏡

唐

直徑15.2厘米。

龜形鏡鈕，荷葉形鈕座，八瓣葵花鏡緣。鏡左側爲一鼓琴高士，右側一仙鶴正伴隨琴聲起舞。鏡下方爲一水池，一荷葉從水長出承托着龜形鏡鈕。鏡上方爲山巒雲氣，并有"侯瑾之"的印章。

現藏北京大學賽克勒考古與藝術博物館。

狩獵紋菱花鏡
唐
河南洛陽市扶溝出土。
直徑29厘米。
圓鈕。主體紋飾爲四組騎馬狩獵
紋，間飾山巒、樹木、鳥雀、蜂
蝶、蜻蜓及折枝花紋。鏡緣飾折
枝花紋、蜂蝶紋一周。
現藏河南博物院。

仙人騎獸紋菱花鏡
唐
陝西西安市郭家灘出土。
直徑25.5厘米。
橋形鈕。内區飾四仙人騎瑞獸，
仙人頭頂有光環，間飾折枝花
紋、流雲紋，外區飾仙人、鳥
雀、花枝紋帶。
現藏陝西歷史博物館。

打馬球畫像菱花鏡

唐

江蘇揚州市邗江區金灣鎮出土。

直徑18.5厘米。

半球形鈕，内主外從的紋區布
列，内外兩區間以葵花形凸綫分
隔，葵花與鏡緣菱花的花瓣交
錯，給外區留下了布置紋樣的空
間。内區有浮雕狀的打馬球圖，
圖中四個騎士揮舞着前端彎曲的
鞠杖縱馬馳逐。周圍點綴着山石
及花枝。外區爲圖案化的蜂和折
枝花，二者相間布置。飾打馬球
畫像的銅鏡共發現兩件，這是出
土地點明確且鏡體較大的一件。

現藏江蘇省揚州博物館。

山海神人紋八角鏡

唐

直徑17.7厘米。

中央有雲形鈕，鈕座爲俯視山嶺
形，并四出形態各异之四山峰，
兩山有禽鳥飛翔。山間爲海水，
内有神禽海獸浮游，并有一童子
騎于魚背之上。

現藏日本私人處。

狻猊葡萄紋方鏡

唐

邊長17.1厘米。

中有伏獸形鈕，內區浮雕狻猊紋、
葡萄纏枝紋，外區浮雕鳥雀蝴蝶，
間飾葡萄纏枝紋。

現藏日本奈良正倉院。

銀背鳥獸紋菱花鏡

唐

陝西西安市出土。

直徑21.5厘米。

伏獸形鈕。內區飾纏枝花
鳥，間飾六隻瑞獸。外區飾
姿態各異的八隻鳥雀，間飾
花草，鏡緣飾流雲紋。

現藏陝西歷史博物館。

銀背鎏金鳥獸紋葵花鏡

唐

直徑14.6厘米。

銀背鎏金，圓鈕，鈕面飾寶相花。主體紋飾以折枝花分
爲四組，分飾展翅鳳鳥與一羊、一鹿。外緣飾一周花
飾，均以細珠紋爲地。

現藏日本私人處。

銀背鎏金鳥獸紋菱花鏡
唐
陝西西安市出土。
直徑11.2厘米。
六瓣菱花形，銀背鎏金。蟾蜍形
鈕，周飾鳥獸及纏枝花紋，以細密
點紋爲地。
現藏陝西省考古研究院。

金銀平脫鸞鳥銜綬紋鏡
唐
陝西西安市出土。
直徑22.7厘米。
圓鈕。外飾銀質蓮葉紋，蓮
葉紋外飾金絲同心結紋。主
紋區飾四隻金花鸞鳥，口銜
綬帶，展翅飛翔，間飾銀質
菊花。近緣飾一周金絲同心
結紋。
現藏陝西歷史博物館。

西晉至五代十國（公元二六五年至公元九六○年）

金銀平脫羽人花鳥紋葵花鏡

唐

河南鄭州市出土。

直徑36.2厘米。

鏡作葵花形。圓鈕，重瓣花形鈕座。座外出相對的四石榴，其間飾以四鳥。最外對稱布列同向環繞的鸞鳥仙人各二，旁邊襯以花枝蓮葉。鸞鳥尾如花葉，展翅飛翔；仙人鳥身人首，托盤散花。整個鏡背的紋飾錯落有致，繁複而不雜亂。花瓣鈕座及石榴以金銀箔交錯組成，小鳥、蜂蝶、花枝和蓮葉用金箔，仙人、鸞鳥和花卉用銀箔，金光銀色，交相輝映，極其華麗。

現藏中國國家博物館。

金銀平脫寶相花紋葵花鏡

唐

陝西西安市長安區韋曲莊出土。

直徑19厘米。

鏡作六瓣葵花形，圓鈕，六瓣花形鈕座，外飾二層寶相花紋。紋飾均由圓形銀片鏤雕鏨刻而成。

現藏中國國家博物館。

金銀平脫花鳥紋葵花鏡

唐

直徑28.5厘米。

圓鈕，鈕面飾寶相花，外纏繞花枝。周圍飾四組禽鳥，每組有大小不一六隻飛鳥。八葵瓣各有一株花枝及一鸞鳥。紋飾以金銀平脫方法製成。

現藏日本奈良正倉院。

螺鈿雲龍紋鏡

唐

河南陝縣後川村出土。

直徑22厘米。

圓鈕。主體爲一龍，龍首銜鈕，軀體捲曲，周飾流雲紋。紋飾均嵌螺鈿而成。

現藏中國國家博物館。

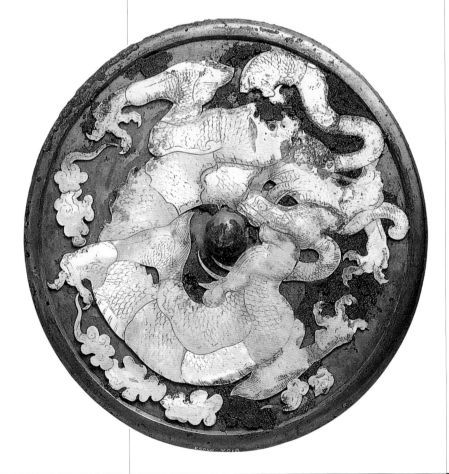

螺鈿高士宴樂紋鏡

唐

河南洛陽市澗西唐墓出土。

直徑24厘米。

半球形鈕，較寬的平鏡緣。在鏡鈕與鏡緣間的素平鏡背上，用揀選和剪裁的貝殼和蚌片拼貼出人物花鳥的圖畫。畫面上方爲一株桂樹，樹下有二人席地而坐，

右側一人彈琴奏樂，左側一人持杯邊飲酒邊聽琴，其前有執壺和三足爐，其後還有一侍女，旁列花鳥、山石等。這顯然是一幅高士歸隱，飲酒作樂自娛的圖景。此鏡出土于唐肅宗乾元二年（公元759年）的記年墓中，不僅年代下限明確，而且工藝精細，是一面唐代螺鈿鏡的佳作。

現藏中國國家博物館。

螺鈿花鳥紋葵花鏡

唐

直徑24.5厘米。

圓鈕，蓮花形鈕座。内區飾團花紋一周，外區間飾鸞鳥銜綬與蓮花荷葉紋。主紋均以螺鈿鑲嵌而成，并以緑松石爲地。現藏日本神户白鶴美術館。

螺鈿蓮花紋葵花鏡

唐

直徑27.4厘米。

圓鈕，聯珠紋鈕座。内區飾花蕾、蓮葉紋，外區飾四朵大枝盛開蓮花，以枝葉、花蕾點綴其間。通體以玉石、青金石、貝殼、琥珀鑲嵌而成。現藏日本奈良正倉院。

西晋至五代十國（公元二六五年至公元九六〇年）

鎏金函

隋

河北定州市静志寺遺址出土。

高20、口寬23.4厘米。

盝頂形蓋套在函身子口上，蓋壁和器壁垂直，平底。函的表面編刻陰綫花紋：蓋頂爲外方内圓的花邊寬帶，其内有持叉踏龜的天王；四坡面上下有重叠花瓣紋帶的邊欄，其間每面有三個團花狀布置的菩薩和神怪的主紋，旁邊填以花卉襯地；蓋壁四周在上下編織紋間飾忍冬紋。器壁四周以忍冬紋帶爲邊框，左右邊框内爲對聯狀銘帶，其内有兩個尖拱楣龕，龕内蓮座上各有菩薩像一尊。銘帶内有楷書銘文八十字，大意是隋仁壽三年（公元603年）在静志寺廢塔基中掘出北魏興安二年（公元453年）舍利石函，大業六年（公元610年）將這些舍利重新安置于佛殿内。此鎏金銅函應當就是爲了重新安放這些舍利而鑄造。

現藏河北省定州市博物館。

飛霞寺銅塔（右圖）

五代十國·後晋

浙江天台縣出土。

高42.5厘米。

仿木結構銅塔，塔基爲須彌座，滿鑄佛坐像與佛教故事圖像，基座内壁刻銘"天福四年歲次己亥六月日再舍入飛霞寺永充供養足越王記"。

現藏浙江省博物館。

法門寺鎏金塔

唐

陝西扶風縣法門寺塔地宮出土。

高53.5厘米。

由塔座、塔身、塔刹三部分組成。塔座共三層，逐層內收。下層仿磚石基座，中、上層均仿木構平座，每層周圍都繞以斗子勾欄，正中設虹形踏步以供升降。塔身爲三間方形單檐攢尖頂造型，檐柱細長，上聯重楣。柱頭斗拱作法爲斗口跳，補間施人字栱。當心間辟雙扇板門，次間開直櫺窗，正面門前對列二護法力士。屋頂鑄出瓦隴和脊飾。塔刹高聳，方形須彌座上共有六重相輪，其上爲寶蓋、圓光、仰月和寶珠。法門寺是文獻記載中供奉有釋迦牟尼真身舍利的四座中國佛教寺廟之一。該銅塔的斗拱形制不似晚唐風格，它很可能是唐代中期唐皇室某次迎奉佛舍利活動的遺物。

現藏陝西省考古研究院。

西晉至五代十國（公元二六五年至公元九六〇年）

鎏金鋪首

五代十國・前蜀

四川成都市王建墓出土。

高37.8、獸面直徑29.4厘米。

王建爲前蜀皇帝，此鋪首爲其墓門上的構件。

現藏四川省成都市博物館。

鎏金銅棺環

唐

吉林和龍市龍頭山墓群出土。

盤徑13、環徑12厘米。

通體鎏金，表面鏨刻花枝紋，以圈點紋襯地。

現藏吉林省延邊博物館。

鎏金鐵心銅龍

唐

陝西西安市草場坡出土。

高34、長28厘米。

銅龍共出土兩件，其質地、大小、造
型完全相同。銅龍的製造工藝複雜，
主要經過三道工序，即首先用鐵製成
龍體的大致輪廓，然後在鐵芯上覆蠟
剔撥出細部而形成完整的蠟模，經熔
模澆鑄成銅龍，最後在銅龍表面鎏
金。龍整體作飛騰狀，頭部高昂，尾
部飄起，前腿直蹬，後腿上舉，極富
動感。

現藏陝西歷史博物館。

鍍銀銅豬

五代十國・前蜀

四川成都市王建墓出土。

高3.2、長11.3厘米。

銅質，體中空，左右兩半焊合而成。豬圓睜雙目，前蹄
向前跨出，後蹄着地欲蹬。短尾微翹，皮毛光潤。

現藏四川博物院。

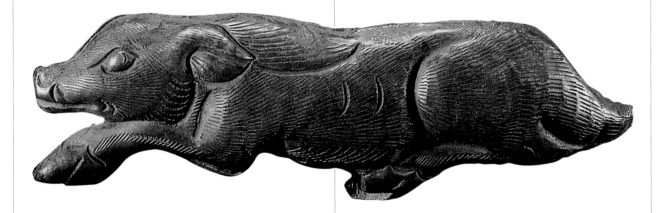

大晟鎛鐘

北宋

內蒙古喀喇沁旗出土。

高27.8、銑間寬18.9厘米。

仿東周時期銅鎛鐘。鏤空雙龍形紐冠，門形鈕甚小。鐘體正視呈合瓦形，上端略小，平頂（舞部）齊口（于部）。舞、篆、鼓部均飾蟠虺紋，螺旋半球式枚。鉦部有陰刻篆書文字，正面爲"大和"二字，背面爲"南呂中聲"四字。此爲宋徽宗宗廟樂器大晟編鐘之一。

現藏河北省博物館。

鹵簿大鐘

北宋

高184、口徑256厘米。

圜頂高鈕，鈕作相對的坐龍搶珠形狀。直筒狀
壁，鐘口微侈，口緣作八連弧形。鐘的外表以
五道箍狀弦紋分隔爲六層，除頂層無紋飾外，
其餘各層都鑄有精美的浮雕狀圖案：第二至四
層表現的是宋代帝王出行的輿服制度、宮衛制
度，以及車駕服制，并有宋京汴梁皇宮門闕的
形象；第五層紋飾宛如一幅山水畫長卷，有山
巒、流水、林木、小橋、房舍；第六層爲海水
浪捲，其間按方位鑄有四神和四仙。在第六層
的"朱雀"旁有金代驗刻的"右街僧官宛平縣
仰山院"的銘記，第四層與宮闕相對處，有清
代加刻的"大清乾隆年造"的年款。這些是宋
以後該鐘流傳經歷的實録。此鐘是僅存的宋代
宮廷用銅鐘。

現藏遼寧省博物館。

靖康李綱鐧

北宋

通長96.5、鞘長76厘米。

鐧身碩長，四瓣形格，柄飾絞紋，柄端裂瓜形。帶鞘。
鐧身近格處有添金刻銘七字，記其爲靖康李綱所用。
現藏福建博物院。

鎏金銅腰帶

南宋

廣東臺山市南面海域沉船打撈。

通長170厘米。

以銅絲絞合而成、通體鎏金。

現藏廣東省博物館。

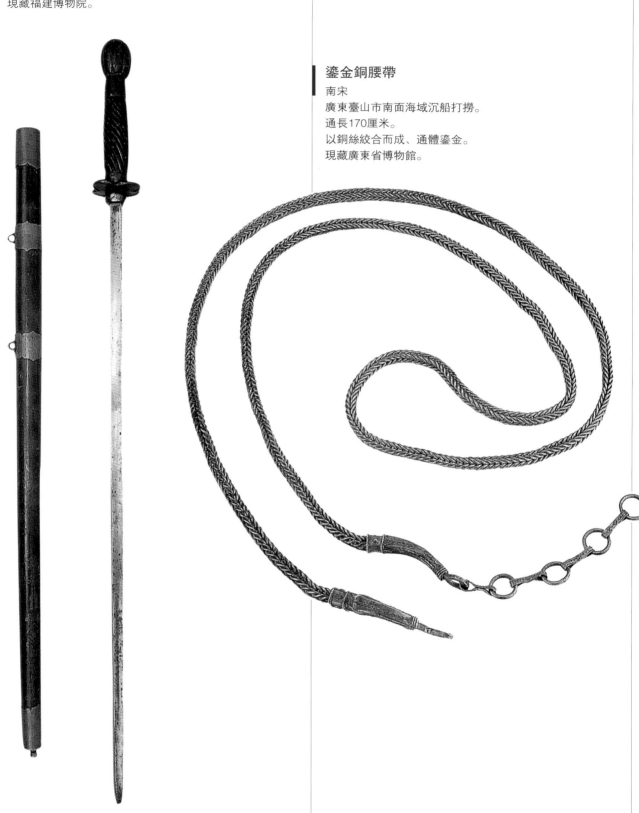

蹴鞠畫像鏡

南宋

直徑11厘米。

圓形鈕，窄鏡緣。在寬大的紋區內鑄出浮雕狀蹴鞠圖像。圖中表現的是一處貴族的後庭，遠處有石砌便道和太湖石架山，在道旁的草坪上有一對少年男女正在對踢一球，其後有還有男女侍者各一人，手中抱着或肩上搭着踢球人脫下的衣服。用足踢球，古稱蹴鞠，鞠也就是"以皮爲之，實以毛"的足球（《漢書・霍去病傳》顏師古注）。

現藏湖南省博物館。

滿江紅詞菱花鏡

南宋

直徑21.7厘米。

小圓鈕，文字鈕座，八瓣菱花窄鏡緣。用凸棱的圓環將鏡背分爲內外兩區：內區是兩條平行陽綫勾勒的八個相連的圓環帶，內錄《滿江紅》詞一首九十三字，圓環間飾八卦符號；外區素面無紋飾。

現藏首都博物館。

八卦紋菱花鏡

南宋

河南洛陽市鐵路一小出土。

直徑10.7厘米。

半球形圓鈕，蓮花形鈕座，寬八瓣菱花鏡緣。内外兩區，以連珠紋爲邊欄。内區八瓣蓮花，周圍以放射狀花蕊芒綫爲襯底；外區按菱花花瓣以聯珠紋分爲八格，每格内填一八卦符號。

現藏河南省洛陽博物館。

花葉紋亞字鏡

南宋

直徑13.8厘米。

小圓鈕，花形鈕座，方形曲角呈亞字，鏡緣寬平。紋區飾四朵牡丹形花卉，但花朵旁的枝葉柔曼，又不像牡丹。紋區外亞字形邊框内有一周聯珠紋作邊欄。

現藏湖南省博物館。

嵩德宮銅銚
遼

遼寧義縣清河門遼墓出土。

高8.4、長27.2厘米。

直壁平底，一側有短柄。筒身内三分之二
處有檔隔，將之分爲上下兩部分。外壁刻
銘十二字，記其爲嵩德宮造。

現藏中國國家博物館。

鎏金花鳥紋熏爐
遼

河北新樂市城關鎮陶家莊收集。

高14厘米。

斂口、圓唇、折肩、平底。肩兩側有
環，連接弧形提梁，梁頂中部有長鏈與
蓋面環鈕相連。八角僧帽形蓋，上有鏤
孔，沿飾靈芝紋，腹鏨刻精細花鳥紋。
通體鎏金。

現藏河北省博物館。

盤龍柱座蓮花童子燭臺

遼

內蒙古巴林左旗遼上京遺址徵集。

高29厘米。

燭臺分爲三層，每層間以花朵相區
隔。下層爲花葉形的三足，上托一
鏤空圓球，好似花蕾；中層在四瓣
花形隔板上立一圓柱，柱外纏繞鏤
空的盤龍；上層在仰蓮花座內半跪
着一童女，童女托盤，盤內有圓筒
形燭托。

現藏內蒙古自治區文物考古研究所。

龍紋鏡

遼

內蒙古阿魯科爾沁旗耶律羽之
墓出土。

直徑28厘米。

圓鈕。鏡背浮雕一捲體蟠龍，
龍張口銜鈕，通體飾鱗紋。

現藏內蒙古自治區文物考古研
究所。

寶珠雁紋鏡

遼

直徑12.3厘米。

圓鈕，周圍間飾寶珠紋、雁
紋、雲紋各四組，近緣處飾小
乳釘紋一周，鏡緣有金代女真
文刻款及花押。

現藏遼寧省博物館。

四童龜背紋鏡

遼

遼寧建平縣張家營子出土。

直徑15厘米。

同出四件，選一。環鈕，圓形鈕座，外飾四瓣花紋。內區以聯珠紋圍成方形，四角皆飾童子，神態各異。外區飾龜背紋。環鈕連接曲鈎鐵釘，可能挂于墓室四壁。

現藏遼寧省博物館。

菊花紋鏡

遼

直徑9.8厘米。

圓鈕。整體呈菊花形，花瓣叠壓旋轉。一花瓣上有金代刻款"濟州錄司官"及花押。

現藏遼寧省博物館。

連錢錦紋亞字鏡

遼

遼寧鐵嶺市有色金屬熔煉廠出土。
直徑10.9厘米。
橋形鈕，聯珠紋圓鈕座。外飾連錢
錦紋，錢孔內均裝飾小花，連錢錦
紋外有三層疊壓花瓣，亞形邊框內
有聯珠紋一周。
現藏遼寧省博物館。

鎏金鏨花刻經銅函

遼

河北新樂市城關鎮陶家莊
收集。
高13.5、長17.2、寬14.3
厘米。
長方形函，盝頂形蓋，上
有一蓮苞狀鈕，鈕鏨單瓣
仰蓮紋，蓋面飾錢紋、花
卉紋。四壁飾蓮花紋，以
魚子紋襯地。內裝《方廣
大莊嚴經》銅板十二塊。
活頁式經板，刻經文面鎏
金。
現藏河北省博物館。

雙龍紋鏡

金

直徑22.2厘米。

圓鈕，周圍浮雕雙龍，作追逐狀，以波浪紋爲地，周飾流雲紋。鏡緣有"都右院"刻款及花押。

現藏遼寧省博物館。

龜鶴人物紋鏡

金

吉林榆樹市出土。

直徑13.3厘米。

松樹下石上一老者站立，後有侍童。左上有一輪圓日，下有一童子騎鹿，鹿前有靈芝、仙鶴。下方水波中魚、龜浮游。柄殘失。現藏吉林省榆樹市博物館。

韓州司判牡丹紋鏡

金

吉林梨樹縣出土。

直徑21.3厘米。

圓鈕，菊花形鈕座。周飾五朵纏枝牡丹花，外飾聯珠紋一周，鏡緣有"韓州司判"刻銘及花押。現藏吉林省博物院。

四童戲花紋葵花鏡

金

吉林長春市出土。

直徑13.8厘米。

圓鈕。周圍浮雕四戲花童子，神態各異，空隙處浮雕花枝紋。

現藏吉林省博物院。

吴牛喘月紋柄鏡（左圖）

金

吉林德惠市出土。

直徑8.5厘米。

長柄，飾花葉紋。鏡背飾吴牛喘月圖，刻劃精緻。

現藏吉林省長春市文物管理委員會。

坐式銅龍（右圖）

金

黑龍江哈爾濱市阿城區上京會寧府遺址出土。

高19.6厘米。

龍昂首張口，弓身捲尾，左前足踏地，右前足抓一朵祥雲，後腿坐于地上。龍髮後飄，與肩部升起的烟雲相接。

現藏黑龍江省博物館。

西夏文敕牌

西夏

高18.5、直徑14.7厘米。

由兩個銅牌以牙口咬合而成，兩片之間形成空腔，上端有長方形提鈕，兩片合成　體時才是完整符牌。一片外側雕刻回曲花卉紋，紋內雙綫陰刻漢文“敕”字，另一片刻四個西夏文字，意爲“火急馳馬”。此種符牌爲西夏王朝傳遞文書、命令時使者的身份證明。

現藏中國國家博物館。

鎏金金剛杵

大理國

雲南大理市崇聖寺三塔塔頂發現。

通長20.8厘米。

通體鎏金。雙面五股杵，兩端均爲四鉤一杵，鉤端浮雕龍首。柄飾蓮瓣紋、聯珠紋，并間飾渦紋。無指套，以一銀質環套代替。

現藏雲南省博物館。

青銅塔（右圖）

南宋

雲南大理市出土。

高26.5厘米。

七層方形樓閣式寶塔，塔身、塔座鎏金，内撐方形石柱。塔刹含有玻璃、水晶質覆鉢、寶瓶、相輪、寶蓋、風鐸，塔頂四角飾金翅鳥。

現藏雲南省大理白族自治州博物館。

噶當塔

宋

高25.5厘米。

爲噶當教派所供奉之佛塔。通體鎏金，鑲嵌各色寶石。

現藏西藏自治區拉薩市布達拉宮。

全寧路三皇廟祭器

元

內蒙古赤峰市松山區猴頭溝鄉出土。

長31、高9.2厘米。

橢圓形體，龍首形雙耳，弧腹平底，頸飾變形龍紋，腹飾雲雷紋。正面中部鑄銘"皇姊大長公主飾財鑄造祭器永充全寧路三皇廟內用"。

現藏內蒙古自治區文物考古研究所。

鎏金象頭足銅爐

明

高33、口徑20厘米。

直口，束頸，象頭形三足，象鼻抵地。通
體鎏金。外底器款爲“大明宣德年製”。
現藏廣東省博物館。

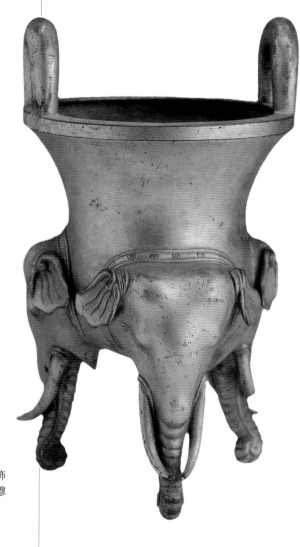

阿拉伯文帶座銅爐

明

高22.3、口徑24.1厘米。

直口，扁腹，三矮足，雲形雙耳，荷葉形底座。爐腹飾
阿拉伯文兩組，漢意分別爲“安拉，唯一真主”、“穆
罕默德是真主的使者”。爐外底楷書“大明正德年製”
款識。此爲明政府贈給清真寺的用品。
現藏中國國家博物館。

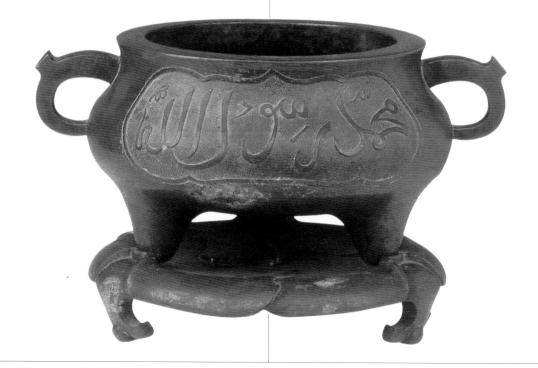

雲紋銅熏爐

明

高91.9厘米。

折沿，直腹，三象鼻足，頸部兩側對置象鼻形鋬。

爐身浮雕纏枝花紋，蓋亦透雕纏枝花，獸形鈕座。

楷書"大明宣德年製"款。

現藏中國國家博物館。

獸形銅熏爐

明

高33、口徑17厘米。

獨角怪獸形器。獸昂首挺立，腹飾捲雲紋，尾部分開內捲，足部有一蛇纏繞四足。腹內中空，以獸首爲蓋，嘴、眼、耳透雕。

現藏河北省博物館。

牧童騎牛形熏爐

明

高14厘米。

牛回首半臥、長尾下垂。器腹中空，背有長方形蓋，蓋鈕鑄成一吹笛牧童形象，牧童身背帶孔草帽。

現藏河北省博物館。

鄭和銅鐘

明

高83、口徑49厘米。

雙龍鈕，葵口，鐘身鑄雷紋、
八卦紋、波曲紋。腹上部鑄
銘"國泰民安"、"風調雨
順"，腹下部鑄"大明宣德六
年歲次辛亥仲夏吉日，太監鄭
和、王景弘等同官軍人等，發
心鑄銅鐘一口，永遠長生供
養，祈保西洋往回平安吉祥如
意者"。

現藏中國國家博物館。

永樂大鐘

明

高675、最大徑330厘米。

大鐘爲平面圓形的圜頂敞底型。大鐘由鐘鈕和鐘體兩部分。鐘鈕似抽象的四足躬背的立獸形，其背梁穿挂于鐘樓橫梁上的吊環内。吊環由上下兩個門形半環組成，上半環扣于梁上，下半環穿于鐘鈕内，兩者間以一根體量不大但承受力頗强的低碳鋼芯的銅銷子相連接。鐘體上小下大，上端圜頂中央開一圓孔，以減緩共振對鐘體的影響；下部逐漸向外撇，邊緣做成八聯弧形。鐘的内外遍鑄漢文及梵文佛教經咒，漢文經咒主要爲永樂十五年御製《諸佛世尊如來菩薩尊者神僧名經》，梵文咒語係藏傳佛教中流行的蘭查體梵文。覺生寺永樂大鐘以其形大體重、銘文衆多、鐘聲宏亮和工藝卓絶而著稱于世，號稱“古鐘之王”。

現藏北京市大鐘寺古鐘博物館。

五體文夜巡銅牌

元

内蒙古興安盟科右中旗出土。

高17.8、寬11.5厘米。

銅牌正面中心鑄"元"字，右側鑄"天字拾一號夜巡牌"。牌正反面陽鑄八思巴文、回鶻蒙古文、察合臺文、藏文及漢文，是迄今元代各種牌符中使用文字最多的一件。

現藏内蒙古自治區文物考古研究所。

豹房勇士銅牌

明

高9.8厘米。

一面鑄一隻蹲坐豹子，上方橫鑄"豹字一千一百肆號"，另一面鑄"隨駕養豹官軍勇士懸帶此牌，無牌者依律論罪，借者及借與者罪同"。明武宗常在豹房辦公，故豹房也設隨駕勇士。

現藏中國國家博物館。

仙鶴人物紋鏡（右圖）

元

河南孟津縣出土。

直徑9.7厘米。

元寶形鈕。上浮雕樓闕與仙鶴，中部浮雕四嬉戲兒童，下飾一對公鷄、蓮花、雜寶等。

現藏河南省洛陽博物館。

人物故事紋柄鏡

元

吉林永吉縣出土。

直徑15.3厘米。

長柄。鏡背左側樹下一人手持華蓋，一人推小車，車上坐一人，前有二人手持三角旗，旁有一人席地而坐。遠處有一婦人憑欄觀望，欄側有太湖石。

現藏吉林省博物院。

洛神畫像菱花柄鏡（左圖）

元

吉林九臺市八家子村出土。

直徑12.6厘米。

長柄，菱花形鏡。鏡背上方有明月，中有浮雲，海浪中一童女手持華蓋，下有一仙女，踏雲而立，一童子捧物仰望仙女。取材于《洛神賦》。

現藏吉林省長春市文物管理委員會。

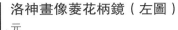

五子登科紋鏡

明

直徑20.7厘米。

圓鈕。四面鑄"五子登科"四字，每字內側鑄一"喜"字，均套以方框。"五"字兩側長方欄內鑄"胡聚盛號青銅明鏡"，"子"字兩側飾蓮蓬。

現藏中國國家博物館。

遼至清（公元九一六年至公元一九一一年）

宣德吴邦佐造雙龍鏡

明

徑21厘米。

圓鈕，左右兩側對置蟠龍，上下有框，内銘"大明宣德年製"、"工部監造吴邦佐"。間飾四朵雲紋。

現藏中國國家博物館。

百子圖鏡

清

直徑36.5厘米。

圓鈕，鈕面鑄"湖州薛晋侯自造"七字。鏡背共鑄童子三十二名，形態各异，有五子奪魁、三中三元、蓮生貴子等多種題材。

現藏中國國家博物館。

銅壺滴漏

元

通高264.4厘米。日壺高75.5、口徑68.2厘米，月壺高
58.5、口徑54.5厘米，星壺高55.4、口徑44厘米，受水
壺高75、口徑32厘米。

由日壺、月壺、星壺、受水壺組成，四壺自上而下依
次安放。受水壺壺蓋正中立一銅表尺，上有時辰刻
度。壺身有製造年份及人員之刻文。此為現存最早的
複式漏壺。

現藏中國國家博物館。

量天尺

元

全長517.6、首端寬88.2、尾端寬71厘米。

量天銅尺形如邊尺很短的丁字尺，尺的北端有一個由封閉水渠圍繞的直徑3.4厘米的水池，池周圍刻廿四方位，這是中國現存最早的水羅盤。尺的主體中央是水渠圍繞的元刻尺度，其形制為平行雙尺，這既給銅尺兩邊

觀測者以讀數的方便，又可減少讀數的誤差。水渠外側靠近銅尺兩邊是清乾隆年間另按清營造尺加刻的尺度。尺的南端是立表的插孔，周圍水渠與量天尺水渠相通。其構思奇巧，製作精密，是元代著名天文學家郭守敬主造天文儀器的僅存碩果。

現藏江蘇省南京市紫金山天文臺。

渾天儀

明

明制渾儀根據構件用途的不同分別采用錫青銅、鉛錫青銅和黃銅鑄造而成。其結構主要分爲觀測和支承兩部分。觀測部分主要有三組相互關聯的環圈：最外一組稱六合儀，它由水平的地平圈、南北直立的天元子午圈和斜向的天常赤道圈組成；中間一組是可在六合儀中轉動的三辰儀，它由天常赤道圈內的游旋赤道圈和與之垂直相交的二分圈、二至圈（該圈爲雙環）組成；最裏一組稱四游儀，它祇有一道平行的雙環，雙環間夾有一根中有圓孔的方形窺管，管的中央連于環心，管可在雙環間轉動。觀測時將窺管圓孔對準所要測的星體，再根據需要測定的項目分別轉動內層或中層的環圈，就可在環圈刻度上讀得所求度數。支承部分由上下兩部分組成：上層爲支柱五根，即中央支撐天元子午圈的直立的鰲雲柱，以及四角支撐地平圈的略向內傾的飛龍柱；下層爲五個方形基座承托的趺座，座面四周有水渠，可保持儀器安放的水平。儀器鑄于明英宗正統三至四年間（1438－1439年）。這是最能代表中國傳統天文儀器成就的大型儀器，也是世界現存最重要的古代測天儀器之一。

現藏江蘇省南京市紫金山天文臺。

簡儀

明

趺座長440.6、寬297.4厘米。

簡儀主要有用于支承的趺座、柱架和用于觀測的赤道系統環圈、地平系統環圈四部分。趺座爲長方形，座下有六個方形短柱，座框四周有保證儀器水平的貫通的水渠。座上柱架共兩組，即固定觀測環圈的左右相交呈"A"的北極雲柱和左右相交呈"X"形的南極雲柱，以及支撐雲柱的四根龍柱。雲柱和龍柱分別鑄以高浮雕狀的捲雲和蟠龍。在北極雲柱頂端安裝有一個較小的確定北極的定極環，在南極雲柱交叉點處安裝有百刻環，環內十字架上叠裝赤道環。以定極環心與赤道環心爲軸心，其間安裝可以東西游轉的四游雙環，環兩面刻周天度數，環面有一條可繞環中心旋轉的觀測用"窺衡"，可用以觀測天體的入宿度及去極度數。以上四個環圈就構成了該儀器的赤道系統。在趺座北部座面上，水平安放有陰緯環，該環的中軸與北極雲柱橫梁間，安裝有可旋轉的立運環，環面有"窺衡"，可據此測定天體的地平方位和出地高度。這兩個環圈就構成了該儀器的地平系統。此簡儀是明英宗正統三至四年間（公元1438－1439年）仿照南京所存元代郭守敬創製的簡儀而鑄造。它是世界上首次使用赤道裝置的天文觀測儀器，代表了元代天文儀器製作的最高成就。

現藏江蘇省南京市紫金山天文臺。

經穴銅人

明

高213厘米。

明代仿宋代經穴銅人鑄造。全身按照中國傳統醫學的人體經絡標注了五百五十九個穴位，共六百六十個針灸點。據說該銅人除了供醫生用於觀摩研習外，還用於考核醫生的把穴水平。考核時在銅人體內注水，體外塗蠟，醫生根據要求以針刺穴，針入水出，方爲合格。這是寶貴的中國醫學文物，同時也是傳統人體造型的代表。現藏中國國家博物館。

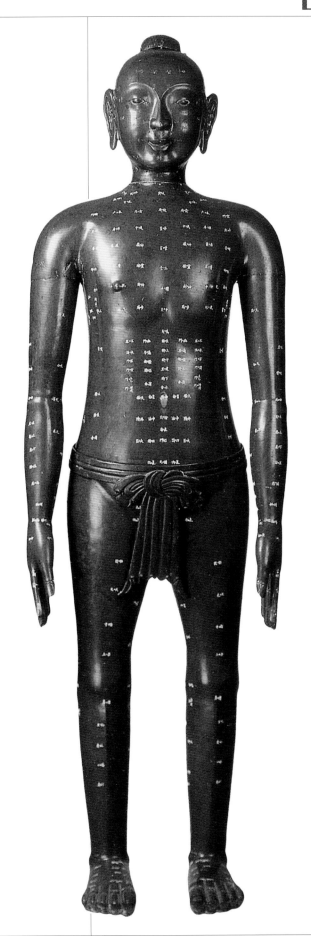

鎏金玄武

明

原置湖北丹江口市武當山。

高47、長63、寬44.5厘米。

紅銅質，通體鎏金。龜首反顧，蛇首
前伸，蟠于龜身，尾部相纏。

現藏湖北省博物館。

鈴杵

明

高15厘米。

鈴杵爲代表方便的金剛杵與代表智慧的金剛鈴之合稱，爲密宗法器。鈴、杵皆通體鎏金。

現藏西藏自治區羅布林卡。

金剛杵

明

高24.5厘米。

杵上爲人身，手持法器與多吉，坐于蓮臺之上，臺下浮雕獸面紋。三棱形杵身，插入三角座上仰臥之外道神腹部。

現藏西藏自治區羅布林卡。

普巴

明

通長38厘米。

"普巴"爲藏語，意即橛。金剛橛爲佛教降魔法器。獅頭，紅色螺髻，三棱錐形橛身，錐上浮雕"曲森"頭。一棱面有藏文銘款，意爲"右邊甘露獅子"。

現藏西藏自治區拉薩市布達拉宮。

鍍金銅佛塔

明

高27.4厘米。

由塔基、塔身、塔刹三部分組成，通體鍍金。八角束腰須彌座形塔基，飾蓮瓣紋及纏枝花紋。塔基以上四層八角形臺座承托覆鉢式塔身，塔刹有相輪十三層，頂端爲寶蓋和日、月寶珠。塔刹根部刻銘"大明永樂年製"款。

現藏西藏自治區文物管理委員會。

蓮瓣紋鎏金銅蓋罐

清

四川阿壩藏族自治州徵集。
高14、口徑8.7厘米。
直口，鼓腹，圈足。蓋飾蓮瓣紋、
捲草紋、雲紋，腹飾蓮瓣紋，肩與
圈足飾捲雲紋。通體鎏金。
現藏四川博物院。

長號角

清

長295、口徑22.5厘米。
喇叭形口、口外緣錯金。
長號身有數周刻花銀箍。
現藏西藏自治區羅布林卡。

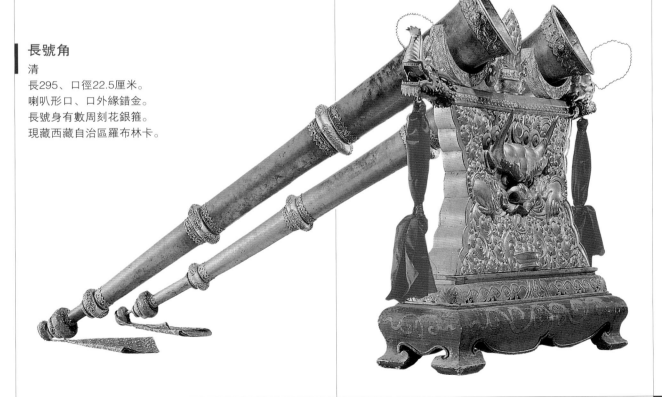

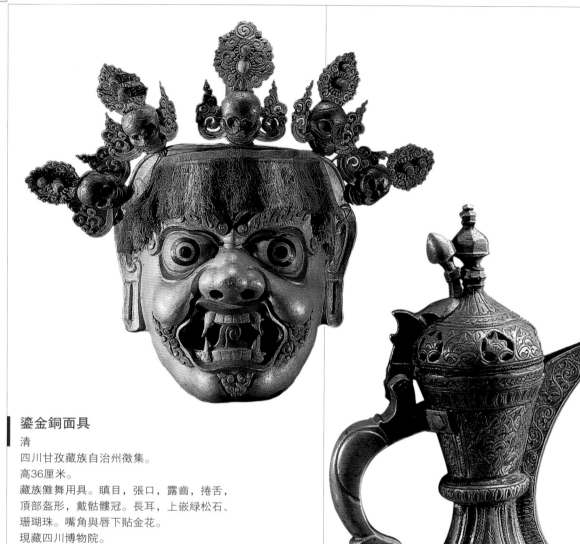

鎏金銅面具

清

四川甘孜藏族自治州徵集。

高36厘米。

藏族儺舞用具。瞋目，張口，露齒，捲舌，
頂部盔形，戴骷髏冠。長耳，上嵌綠松石、
珊瑚珠。嘴角與唇下貼金花。

現藏四川博物院。

洗手壺（右圖）

清

新疆喀什市徵集。

通高33厘米。

各部分以模壓、鍛打法分別製成，再以鉚釘、
焊接法合爲整體，并雕鏤維吾爾族傳統紋飾。
壺蓋與把手上部有活銷相連。

現藏新疆維吾爾自治區博物館。

洗手壺與接水盆

清

新疆喀什市徵集。

壺高40、盤口徑32厘米。

均爲紅銅質，爲一組用具。壺通體滿布剔雕花紋，腹部兩面凸起透雕圓形裝飾。接水盆有圓蓋，蓋面及盤沿透雕花瓣紋等紋樣，盆體外亦有透雕盤套。

現藏新疆維吾爾自治區博物館。

銅茶壺和碗

清

新疆喀什市徵集。

壺高12.5、碗口徑13厘米。

紅銅質仿瓷茶壺，壺身雕刻維吾爾族傳統紋飾。碗銅質鍍銀，雕刻花紋及維吾爾文字，記製碗年代爲回歷1302年（公元1884年）。

現藏新疆維吾爾自治區博物館。

銅盤 碗

清

新疆莎車縣徵集。

盤高8、口徑34.5厘米。

銅盤由十二棱盤體與窗格式盤座鉚合而成，刻有盤式紋樣、米合拉甫式雕紋、科爾古麗雕飾等十幾種維吾爾族傳統紋飾。銅碗內則飾維吾爾文組成之紋樣。

現藏新疆維吾爾自治區博物館。

年　表

（紅色字體爲本卷涉及時代）

新石器時代（公元前8000年－公元前2000年）
　　馬家窑文化（公元前3300年－公元前2100年）
　　龍山文化（公元前2600年－公元前2000年）
　　齊家文化（公元前1900年－公元前1700年）
　　卡約文化（公元前1600年－公元前600年）

夏代（公元前21世紀－公元前16世紀）
　　四壩义化（相當于夏－商初）

商代（公元前16世紀－公元前11世紀）

西周（公元前11世紀－公元前771年）

東周（公元前770年－公元前221年）
　　春秋（公元前770年－公元前476年）
　　戰國（公元前475年－公元前221年）

秦代（公元前221年－公元前207年）

漢代（公元前206年－公元220年）
　　西漢（公元前206年－公元8年）
　　新（公元9年－公元23年）
　　東漢（公元25年－公元220年）

三國（公元220年－公元265年）
　　魏（公元220年－公元265年）
　　蜀（公元221年－公元263年）
　　吳（公元222年－公元280年）

西晋（公元265年－公元316年）

十六國（公元304年－公元439年）

東晋（公元317年－公元420年）

北朝（公元386年－公元581年）
　　北魏（公元386年－公元534年）
　　東魏（公元534年－公元550年）
　　西魏（公元535年－公元556年）
　　北齊（公元550年－公元577年）
　　北周（公元557年－公元581年）

南朝（公元420年－公元589年）
　　宋（公元420年－公元479年）
　　齊（公元479年－公元502年）
　　梁（公元502年－公元557年）
　　陳（公元557年－公元589年）

隋代（公元581年－公元618年）

唐代（公元618年－公元907年）

五代十國（公元907年－公元960年）

遼代（公元916年－公元1125年）

宋代（公元960年－公元1279年）
　　北宋（公元960年－公元1127年）
　　南宋（公元1127年－公元1279年）

西夏（公元1038年－公元1227年）

金代（公元1115年－公元1234年）

元代（公元1271年－公元1368年）

明代（公元1368年－公元1644年）

清代（公元1644年－公元1911年）